LE MAGNÉTISME
AUTREMENT

Anne Van Eiszner

Le Magnétisme Autrement

Directeur de Collection
Michel Grancher

FRANCE LOISIRS
123, boulevard de Grenelle, Paris

Edition du Club France Loisirs, Paris,
avec l'autorisation des Editions Grancher.

© 1993, by Jacques Grancher, Editeur
ISBN 2-7242-7831-3

A Carl.

Mes plus vifs remerciements à
Jacques Donnars
Marine Boyer
Père Fouquer
Marie-Claire Floret
Johanne Esner
Virginie Schulsinger

AVERTISSEMENT

Dans cet ouvrage, nous avons opté pour le terme de "magnétisme animal", terme fixé au XVIIIe siècle, par analogie au magnétisme minéral.

Si cette dénomination peut paraître contestable du point de vue strictement scientifique, elle a l'avantage de pouvoir être comprise par tous les lecteurs.

D'autre part, nous le verrons plus loin, l'emploi de ce terme semblerait justifié par de récents travaux qui démontrent l'existence de champs électromagnétiques émanant de tous les organismes vivants.

On étudiera ces phénomènes de "magnétisme humain" et de guérison du point de vue de la conscience, en s'appuyant pour cela sur une pratique approfondie.

Le Magnétisme Autrement est une modeste contribution aux recherches sur la conscience; très modeste car la Vérité, en ce domaine, est volatile : le regard que nous portons sur les phénomènes est purement subjectif... et les phénomènes nous le rendent bien !

Cet ouvrage a donc pour objet le magnétisme.

Mais il s'agit du magnétisme vu par une psychologue clinicienne, psychanalyste, sophrologue, psychomotricienne, chamane en herbe et passionnée par la Kabbale. Eclectisme de l'amateur ou refus des chapelles ? Le lecteur jugera.

Pour nous aider à poser nos repères dans un domaine qui a rarement été exploré de la sorte, nous avons organisé la réflexion en trois parties.

• Nous aborderons d'abord les grands fondements du corps énergétique, légués par les traditions.

• Puis, nous tenterons de cerner (cette démarche est déjà plus "audacieuse"...) l'action de notre inconscient sur la matière.

• Enfin, dans une troisième partie, nous établirons une classification des modes de guérison en fonction des niveaux de conscience.

Nous aurons atteint notre but si nous parvenons à mettre en lumière cet extraordinaire jeu de la conscience qui prend à revers notre égo et nous donne notre plus belle leçon d'humour, de poésie et d'espoir.

INTRODUCTION

N'avons-nous jamais rêvé de maîtriser les éléments ?

Quel être humain, en son for intérieur, n'a pas, une fois au moins, caressé secrètement l'espoir d'imprimer sa volonté sur tout ce qui l'entoure ?

Si le temps de l'enfance et des jeux est celui des croyances infinies, seuls quelques rares individus parvenus à l'âge adulte osent encore souhaiter influencer la matière, sans toutefois détenir les clefs de ce mystère.

Et puis il y a ceux qui ne se contentent pas d'y croire, qui prennent le temps de s'accorder aux rythmes essentiels de la nature et franchissent bientôt la frontière invisible entre le matériel et le spirituel.

Le magnétisme est l'un de ces fils d'or qui peuvent conduire sur le chemin de l'éveil et de la compréhension. De la révélation aussi.

Il est d'abord ancré au plus profond de la matière, nous dévoilant les rythmes secrets, les influences vibratoires, les présences très denses, bien qu'impalpables, de tout ce qui fait notre vie quotidienne.

Le magnétisme nous sert de révélateur. Sur les champs énergétiques qui nous environnent, aussi bien que sur notre propre dimension, il introduit un rapport nouveau entre tout ce qui existe, un rapport qui n'est plus basé sur des concepts sociaux mais sur une réalité matérielle essentielle parce qu'inhérente à toute vie.

Le magnétisme établit ou rétablit des liens fondamentaux : tout est contenu dans cette simple phrase. On ne peut rien ajouter d'autre sous peine de redondance. Il est temps alors d'entrer dans la pratique.

Car, si le magnétisme peut être un chemin d'enrichissement personnel et de révélation, il est aussi un parcours initiatique. Rien ne saurait être donné, révélé, porté à la connaissance, sans une implication profonde et véritable de celui qui est en quête de savoir.

Ce dont il s'agit ici n'a que peu de rapport avec l'image d'Epinal d'un magnétisme d'hypnotiseur faisant son numéro devant un parterre de badauds.

Le magnétisme est bien plus que cela. Il nous introduit dans l'univers méconnu de nos différents corps d'énergie, il nous révèle la dimension réelle de notre potentiel par la découverte des chakras, il nous démontre que nous avons tous le pouvoir d'influer sur la matière par le jeu de notre conscience.

Le magnétisme établit le lien : il porte notre inconscient dans la lumière de notre conscience.

Là est la richesse du magnétisme. Chacun pourra le vérifier très simplement au fil des exercices : nous sommes bien plus que matériels, nous existons dans des dimensions jusqu'alors insoupçonnées.

En un mot, nous nous "resituons" dans l'univers cosmique qui nous entoure, renouant avec la connaissance des forces astrales que les Anciens possédaient déjà, il y a plusieurs millénaires.

Mais le magnétisme va plus loin encore : il nous offre le plus beau des présents qu'un être humain puisse espérer : la capacité de soulager, d'éloigner la douleur, de combattre et de contenir le mal. De guérir.

Il transcende ainsi notre rapport à l'autre, aux autres, il nous "repositionne" dans une évidente responsabilité. Et, bien sûr, il nous "reconnecte" avec cette notion du don, hautement spirituelle, qui est à l'origine de toute humanité.

C'est alors que nous empruntons la voie des sorciers et des chamans, qui côtoient les mondes invisibles, dialoguent en permanence avec des forces que nous soupçonnons à peine et qui sont pourtant présentes dans l'ombre de notre vie de tous les jours.

Nous découvrons bientôt que nous avons tous du magnétisme, que de tout temps nous l'avons utilisé quotidiennement, sans même nous en rendre compte. Car le magnétisme est intimement lié à la fonction de vie. Tout ce qui existe émet, reçoit, subit des ondes, des vibrations et des influences.

Nous sommes tous vivants. Nous sommes tous magnétiseurs. Nous avons tous le pouvoir d'aider les autres. À chacun, dès lors, de choisir jusqu'où il veut grandir...

Les seules limites que nous rencontrons sont celles de nos peurs et de nos préjugés.
Inutile alors de laisser éteindre. Les potentialités qui sont en nous alors que la vie nous appelle dans toute sa joie.
Faisons du magnétisme une formidable ressource moderne.

PREMIÈRE PARTIE

MAGNÉTISME
ET
ÉNERGIE

CHAPITRE I

À LA DÉCOUVERTE DES CORPS D'ÉNERGIE

Existe-t-il une énergie subtile ?

"Or il y avait une femme qui avait un flux de sang depuis douze années et que nul n'avait pu guérir. S'approchant par derrière, elle toucha la frange de son manteau, et à l'instant même le flux de son sang s'arrêta. Mais Jésus dit : "Qui m'a touché?" Comme tous s'en défendaient, Pierre dit, ainsi que ses compagnons : "Maître, ce sont les foules qui te serrent et te pressent." Mais Jésus reprit : "Quelqu'un m'a touché, car j'ai senti qu'une force était sortie de moi."

(Saint Luc, 8, 32-47)

Ce fabuleux passage des Evangiles suggère clairement que la guérison s'opère par le biais d'une force dont Jésus est investi et que c'est la foi d'une femme qui a pu mobiliser cette force, à l'insu du Christ.

Force, foi, "insu" et transfert d'énergie sont des concepts clé qu'il convient d'expliquer.

Force, car il s'agit d'une énergie, bien que nous n'en connaissions pas la nature objectivement.

Foi, car sa puissance permet des phénomènes qui dépassent l'entendement. La foi est cette étrange grâce par laquelle nous sommes reliés à notre inconscient dans ce qu'il a de plus extraordinairement positif.

Insu, car cela soulève le problème de la volonté consciente, et de la conscience même.

Et transfert, car cette guérison nous montre que l'énergie passe d'un corps à l'autre, par on ne sait quelle alchimie de la rencontre entre deux êtres. J'appellerai "phénomène" ce type de rencontre.

Mais ne nous a-t-Il pas dit : *"En vérité, Je vous le dis, celui qui croit en Moi fera aussi les œuvres que Je fais; il en fera même de plus grandes." (Jean, 14, 12-13)*

N'est-Il pas en train de nous dire ici que la guérison n'appartient pas un homme, à une culture ou à une religion, mais qu'elle est une qualité universelle, un don donné à l'homme (bien qu'il y ait de grandes guérisons et de petites guérisons) ?

Mais guérit-on par ce qu'on veut, ou par ce qu'on est ?

L'énergie magnétique dont nous parlons est le propre de tout organisme vivant. Chez l'homme, elle a la particularité d'être constitutive de sa conscience.

- Peut-on apprendre à la développer ?
- Comment ?
- Développe-t-on un outil, ou développe-t-on sa personnalité ?
- Les qualités de cœur œuvrent-elle de concert avec le "pouvoir" ?

L'utilisation de ce que l'on nomme "magnétisme" et les niveaux de conscience qu'il mobilise suscitent de nombreuses interrogations pour lesquelles il n'existe pas de réponse satisfaisante.

Pourquoi ne pas tenter une recherche en ce domaine, une recherche qui aurait pour but de démystifier ce qui nous est trop souvent présenté sous l'angle d'un pouvoir extérieur à nous-mêmes ?

Affinez votre perception

La première fois que j'ai entendu parler de nos différents corps, je suis restée dubitative. Je me suis donc penchée sur la littérature qui traitait de ce sujet. J'en fus pour mes frais, car rien n'était clairement exposé. Chaque auteur avait son système de pensée, ses références. Et c'est tant mieux. Car la vraie connaissance ne se puise pas dans les livres... mais dans l'expérience. Ceux qui ont exploré le chemin avant nous ne peuvent que nous apporter leur témoignage; leur vision est celle de leur cœur. Ce n'est pas une Vérité à avaler toute crue.

Donc, première leçon : ce que nous voyons, nous le voyons à travers notre propre grille de lecture. Il s'agit d'un phénomène subjectif. Attention, "subjectif" ne veut pas dire "irréel". Plus nous montons dans les plans de conscience, plus cette subjectivité est partagée par une communauté.

Un exemple nous aidera à comprendre cette idée de subjectivité : j'ai constaté avec étonnement que la couleur d'un chakra ou "centre d'énergie" changeait selon les traditions. Dans la tradition orientale, le centre de la gorge, appelé "Vishudha", est décrit comme un lotus à seize pétales, de couleur bleu-argent. Dans la tradition Kabbalistique en revanche, il est de couleur pourpre dans une certaine octave, et nous pouvons réellement le voir pourpre.

La visualisation d'un centre d'énergie est le résultat d'un très long entraînement dans une ascèse spécifique. Ce qui signifie que l'adepte évoluera à travers les symboles propres à son ascèse; sa conscience, bien que sur le chemin de la transcendance, n'en est pas moins formée par différents matériaux et ces "matériaux" sont marqués par la culture à laquelle il appartient.

Plus prosaïquement, un chromiste de Singapour ne verra donc pas les mêmes couleurs que son confrère européen.

Ainsi, nous percevons la couleur du "chakra" à travers le prisme et la subjectivité de l'ascèse que nous adoptons.

En outre, ces centres d'énergie ont une couleur différente selon "l'octave" dans laquelle ils sont travaillés.

Nous concevons mieux maintenant pourquoi il est préférable d'adopter un symbolisme qui appartient à nos racines (elles n'en manquent pas), plutôt que d'aller chercher au-delà des mers un système qui ne correspond pas à notre subjectivité.

Il faut reconnaître que les racines ésotériques de notre civilisation ont été bien dissimulées. L'Eglise, dans son exercice du pouvoir, ne pouvait permettre la propagation de ce qui la menaçait directement. Il nous faut faire également abstraction d'un vocabulaire qui nous a longtemps "vaccinés" en associant la symbolique à des relents de bigoterie. La philosophie bouddhiste ou taoïste, par sa liberté implicite, semble alors nous offrir un souffle régénérateur et une dimension autrement séduisante.

En résumé, si la couleur est éminemment culturelle, il reste vrai que les clairvoyants de toutes les cultures s'accordent à décrire différents corps d'énergie, depuis le corps physique - le plus dense - jusqu'aux corps spirituels, les plus subtils. Ici encore, tout est question de modèle, qu'il appartienne à une tradition millénaire, ou qu'il s'agisse d'un schéma personnel.

Quelques modèles

Toutes les traditions décrivent différents corps d'énergie. Nous invitons le lecteur à prendre connaissance de ces approches parfois fort différentes. Nous attirons particulièrement l'attention sur deux grands modèles, l'un oriental, l'autre occidental : le modèle Hindouiste et le modèle Kabbaliste.

Le modèle Bouddhiste-Hindouiste mentionne cinq "pelures d'oignons", les Koshas :
1. *Annamaya-kosha* : c'est l'enveloppe du corps physique;
2. *Pranamaya-kosha* : il contient les cinq vâyus respiratoires (aspiration, inspiration, rétention, expiration, assimilation) et correspond au corps astral ;
3. *Manomaya-kosha* : l'enveloppe de la conscience mentale;
4. *Vijnânamaya-kosha* : l'enveloppe de la connaissance intelligible et lumineuse ;
5. *Anandamaya-kosha* : le seuil de la béatitude et le siège de l'esprit, Buddhi.

Les enveloppes se trouvent regroupées en trois "véhicules" - ou plans d'action - qui disent bien la mobilité de la conscience. En fait, l'idée de "corps" est une vue de l'esprit. C'est une notion pratique pour la lecture d'auras aux niveaux éthérique, astral et mental, mais qui exprime difficilement les états supérieurs de conscience. Ces trois véhicules sont:
- *Sthûlasharîra* : le corps physique;
- *Lingasharîra* : le corps subtil, réunissant les trois koshas qui correspondent aux plans astral, mental inférieur et mental supérieur;
- *Kâranasharîra* : le corps causal, qui correspond à l'enveloppe Anandamaya.

Le modèle Kabbaliste est très proche du modèle oriental. Les différents corps sont aussi les véhicules des niveaux de conscience de l'être humain :
- *Gouph* : le corps physique;
- *Nephesh* : qui correspond au corps astral, émotionnel, et au mental inférieur;
- *Ruach* : le corps mental supérieur;
- *Neshamah* : la partie spirituelle.

Cette classification nous permet de distinguer quatre plans :
- *Assiah* : le physique;
- *Yetzirah* : l'astral;
- *Briah* : le supra-mental;
- *Atziluth* : le spirituel.

La nature électromagnétique, voire la partie superlumineuse, peut être identifiable à Yetzirah ou Briah.

Ces corps d'énergie sont le reflet, sur un plan vibratoire, des différentes natures qui composent l'homme :

1. la nature physique ;

2. la nature électromagnétique ;

3. la nature affective ou émotionnelle, c'est à dire l'âme ou la personnalité ;

4. la nature mentale supérieure, que nous pouvons pressentir comme conscience de notre conscience ;

5. la nature spirituelle, qui dépasse toutes les contingences de la pensée-matière et qui n'est plus conditionnée. Elle est indépendante et plonge directement ses racines dans le divin.

Découvrez les différents corps d'énergie

• 1. *Le corps physique* est lié à la matière. C'est le plus familier de nos "véhicules". Il correspond à l'Annamaya Kosha des Hindouistes et au Gouph des Kabbalistes.

• 2. *Le corps éthérique* correspond à la nature électromagnétique du corps physique. Il est constitué d'une très fine texture, particulièrement résistante, qui a des pores mais pas d'organes.

Ce corps subtil fonctionne à l'intérieur comme à l'extérieur du corps physique et tous deux sont de nature essentiellement chimique. A l'image du corps physique, il a besoin de combustible. Il le puise dans la nature, à la manière d'une plante.

Les énergies terrestres sont assimilées par les talons et les énergies célestes par le crâne.

Nous avons repéré le corps électromagnétique. Bien que très relié au physique, il en est la première expression dans la gamme vibratoire. Il apparaît, à la vision, comme une enveloppe très fine, un gant qui moule le corps sur deux à cinq centimètres. Il est gris-bleuté, mais sa couleur peut varier légèrement.

• 3. *Le corps astral ou corps psychique* – terme que j'utiliserai ultérieurement - est le reflet de la personnalité, de la nature émotionnelle. Il est de qualité plus subtile. La manière dont on le voit dépend aussi des qualités émotionnelles du visionnaire. C'est en quelque sorte notre propre corps astral qui verra la densité, la forme, la couleur de celui de l'autre... D'où une plus grande subjectivité dans l'interprétation de la vision.

Il forme un ovoïde d'environ trente à cinquante centimètres autour du corps. Dans sa partie supérieure, il dépasse le corps en moyenne de trente centimètres; à sa base, il peut pénétrer dans le sol jusqu'à cinquante centimètres de profondeur.

Sur les côtés, il accompagne les mouvements des bras, avec cependant un léger temps de retard (de l'ordre d'une seconde).

Cette enveloppe peut être visualisée comme une gaine lumineuse, d'intensité variable suivant la personne et les moments. Une vision exercée pourra y distinguer des couleurs qui diffèrent beaucoup elles aussi en fonction de la localisation, de l'humeur et de l'état de santé de l'individu. Les couleurs sont dans un état de fluctuation perpétuelle.

L'éclat de celles-ci donnera des indications sur la santé : une couleur lumineuse sera de meilleur augure qu'une couleur terne. La couleur apportera de précieuses informations sur l'état émotionnel.

Le corps psychique correspond donc à notre monde émotionnel, les émotions ayant une influence sur notre santé par le biais du corps électromagnétique. Inversement, un déficit physique perturbera les autres corps.

Le corps psychique est aussi ce double qui voyage dans nos rêves, ou dans les expériences de "sorties hors du corps", qu'elles soient volontaires ou non.

Il est essentiel de bien comprendre cette dimension émotionnelle, car c'est avec elle que nous magnétisons, la plupart du temps à notre insu, alors que nous nous disons "branchés" sur d'autres énergies. Il est très important d'être conscient de cette enveloppe et surtout de la "nettoyer" avant de prétendre régénérer celle des autres. D'où l'importance d'une psychothérapie ou d'un travail sur soi (quelle que soit la forme de ce travail).

Trop souvent, je rencontre des personnes qui ont suivi une voie spirituelle et qui se croient capables de guérir les autres, alors que le chaos règne encore dans leur propre enveloppe. Leur recherche spirituelle n'a été, en définitive, qu'une forme de fuite par rapport à l'angoisse. Les énergies ont été accélérées par les exercices, mais il arrive que la conscience rationnelle éclate, car l'angoisse potentialisée provoque le délire.

Ces personnes font parfois l'expérience d'un craquement à l'intérieur de la tête, avec la sensation d'un os qui se brise. Il faut voir dans ce phénomène la rupture des toiles éthériques qui forment une barrière de protection contre les pensées refoulées (d'où les phénomènes de folies mystiques).

Il ne s'agit pas de fuir l'ombre, mais de l'accepter pour y répandre la lumière.

Nous placerons aussi au niveau de ce corps le mental inférieur : le petit ordinateur intérieur qui parfois se révèle être un agitateur.

En effet, nos pensées sont intimement reliées à nos émotions et influent sur les couleurs de l'aura. La pensée n'est pas exempte de l'influence des émotions, mais elle se croit bien souvent autonome. Une bonne méditation - ou une relaxation profonde - nous aide à prendre conscience de l'agitation et de l'incohérence de cette pensée qui tourne "en roue libre", avec des objets mentaux que nous ne maîtrisons pas.

Il ne s'agit pas de faire le vide, car le vide ne se supporte pas et il attire alors d'autres pensées dont nous sommes encore moins les auteurs. Il vaut mieux calmer le mental inférieur, l'accepter et lui proposer une activité constructive, une méditation sur des symboles bien sélectionnés, une concentration sur un problème que nous avons à résoudre – ce que nous pratiquons beaucoup en sophrologie.

Les traditions regorgent d'excellents exercices, mais n'oublions pas que le mental est capricieux : son énergie ne doit pas tourner à l'obsession. *"Si le mental seul pousse en avant, sans la coopération du vital, il y a labeur et efforts durs et désagréables, avec des résultats qui généralement ne sont pas du tout de la meilleure espèce."* nous dit Shri Aurobindo. Il est préférable d'aller se préparer un bon petit plat, pas nécessairement végétarien, plutôt que de passer la journée à cultiver son nombril. A force de vouloir vivre selon un pur idéal, on perd le goût de vivre. Fuir son ombre, c'est se faire de l'ombre. Combien de pâles et ternes silhouettes ne voit-on pas chez les adeptes qui pratiquent un ascétisme à la lettre, sans en comprendre l'esprit ?

Tous ces exercices, pratiqués avec mesure, visent à contacter cette autre partie de nous-mêmes qui est le corps mental supérieur.

Nos représentations inconscientes peuvent nous jouer bien des tours quand nous magnétisons. Ce que nous cherchons ici, c'est à nous comprendre et à nous connaître à travers les réponses que peut donner la matière sur laquelle nous opérons (qu'elle soit minérale, végétale ou animale). Nous développerons plus particulièrement cet aspect des choses dans la deuxième partie.

• **4.** *Le corps mental* est en relation avec la nature du mental supérieur. C'est Kânasharîra qui correspond à l'enveloppe Anadamaya pour les Hindouistes; c'est aussi le Ruach des Kabbalistes.

Le corps mental est de nature plus subtile encore. Son observation est fonction de notre propre mental; l'action même d'observer influe sur l'objet de l'observation. Ceci est très important : les physiciens commencent à le comprendre à travers les expériences sur l'"infiniment petit".

Nous percevons une autre enveloppe - un ovoïde plus large - aux couleurs plus subtiles. Plus nous montons dans la subtilité des corps, plus notre conscience influe sur notre observation et plus notre propre pensée influence l'aura de la personne que nous observons.

Le corps mental ne perd rien des qualités du mental inférieur - qui nous est utile malgré tout pour résoudre les problèmes quotidiens - mais il va l'irriguer de son inspiration. La pensée y est féconde, illuminée par les qualités prophétiques de notre moi supérieur. En d'autres termes, cette partie de nous-mêmes est reliée aux plans divins, même si elle n'est pas développée; elle est présente et ne demande qu'à être fécondée.

Le corps mental est perçu comme un ovoïde dont les contours sont moins aisément définissables que ceux du corps astral. La lumière est plus ou moins éclatante, en fonction du niveau de pensée de l'individu. Mais là encore, tout est question d'appréciation personnelle.

Alors que le mental inférieur reste profondément lié au corps émotionnel, le corps mental supérieur correspond à un "dégagement" et à une acceptation de la sphère émotionnelle. Sa luminosité paraît plus blanche, plus importante autour de la tête, comme nous le montrent les icônes.

Gardons à l'esprit que toute terminologie est très schématique et qu'elle rend compte d'observations qui n'appartiennent qu'à leurs auteurs. J'ai eu confirmation de cette sagesse par une de mes élèves dont les dons médiumniques ne font aucun doute. Elle me fit part de la vision qu'elle avait eue, en observant sa sœur avec qui elle est très liée : *"Sur son épaule, j'ai vu une couche de bleu, une couche de noir, une couche de rouge, et enfin du jaune à la superficie."* Comme elle me demandait ce que j'en pensais, je lui proposai de me donner sa propre interprétation. Voilà ce qu'elle avait compris : *"Le bleu est la couleur qui appartient à ma sœur, en profondeur, mais elle n'en est pas consciente; le noir est cette partie d'elle-même, et des influences qu'elle accepte, qui empêchent le bleu de surgir; le rouge est la colère rentrée qu'elle avait ce fameux jour; le jaune, l'amour qu'elle portait à son bébé qu'elle tenait alors dans ses bras."* J'ai trouvé son interprétation très intelligente : elle tenait compte de la dimension symbolique.

Découper ainsi l'être humain n'est pas un amusement, mais une nécessité qui nous permet d'ordonner le chaos. Ainsi en est-il de chaque tradition : elle est l'ultime tentative de l'homme, nourrie d'intuitions et d'expériences, pour organiser l'univers qui l'entoure, le rendre plus cohérent, et pour tracer des routes aux aventuriers de l'âme. Tel est le paradoxe de cette aventure : utiliser une voie, mais ne pas s'y attacher ni s'identifier à elle.

Je suis donc restée intentionnellement brève pour ne pas fixer le mental sur une représentation ou une autre. À chacun de compiler les nombreux livres qui existent à ce sujet, et de découvrir les conceptions des Kabbalistes, des Bouddhistes, des Hindouistes, des occultistes, des Taoïstes, des Indiens d'Amérique, des Soufis, des Egyptiens de l'ancienne époque, des Aborigènes...

Malgré la diversité des écoles, tous s'accordent à reconnaître la réalité d'autres corps (ou autres "véhicules" que le corps physique) qui correspondent à des aspects de la psyché : émotionnel, mental, spirituel.

Localisez vos chakras

Nous avons les chakras que nous créons, mais il se trouve que nous sommes des millions à créer la même chose !

Si les observations et les interprétations des fonctions psycho-physiologiques des chakras sont partagées par beaucoup de spécialistes, leurs fonctions "spirituelles" sont interprétées différemment d'un auteur à l'autre.

Cela ne doit pas nous étonner. Car dès lors qu'il s'agit de décrire des fonctions aussi subtiles et intangibles, la conscience de l'observateur intervient dans le phénomène et le langage impose sa griffe. Avant de les découvrir par nous-mêmes, nous devons un peu préciser les choses.

Qu'est-ce qu'un chakra ?

Le dictionnaire des sciences occultes, de l'ésotérisme et des arts divinatoires nous donne cette brève définition : *"Les chakras sont des centres de force neuro-psychiques et subtils situés symboliquement le long de la colonne vertébrale."* C'est généralement ce que nous en retenons. Mais le problème est cependant plus complexe et mérite une lecture attentive des différents auteurs.

Michel Coquet nous dit : *"Le corps est constitué d'un ensemble de fils d'énergie très finement entrecroisés. Lorsque plusieurs de ces filaments d'énergie se croisent au même endroit, cela crée un centre radiant de forces concentrées que nous appelons un centre psychique et que les orientaux nomment çakras[1] (roue) ou padma (lotus) en raison du fait que*

1 *"Les çakras"* Michel Coquet, Ed. Dervy Livres.

perçu par clairvoyance, un centre, s'il est inactif, ressemble à une simple roue, et s'il est actif, prend l'apparence d'une fleur de lotus épanouie et irradiante, constituée de plusieurs pétales de différentes couleurs, ces couleurs n'étant que les manifestations des taux de fréquence vibratoire de l'énergie des pétales du centre".

Les Chakras sont des nœuds de correspondance entre le corps physique et le corps énergétique, comme les nœuds de l'arbre font se correspondre l'intérieur et l'écorce.

Au clairvoyant ils apparaissent comme des vortex d'énergie à action tourbillonnante, des vortex en forme de cônes, de cloches ou d'entonnoirs. *"Leur extrémité évasée - ou bouche - fait saillie dans le corps énergétique et leur extrémité étroite pénètre la première couche de l'aura jusqu'à la surface de la peau"*, ainsi sont-ils perçus par le clairvoyant C. W. Leadbeater, dont le docteur John C. Pierrakos[1] nous rapporte les observations.

Les couleurs varient suivant la vitesse de rotation, qui est elle-même fonction des centres, des personnes et des moments.

Il existe des centaines de centres, mais les principaux sont liés aux organes. Ils aspirent de l'énergie et la répartissent dans leur province, jusqu'au niveau cellulaire. Ils émettent également vers l'extérieur, à des vitesses plus rapides que celles des auras.

Les traditions orientales, qui paradoxalement nous sont devenues plus familières que nos propres traditions, proposent plusieurs modèles d'anatomie énergétique, dont le modèle Hindouiste que nous connaissons tous, mais qu'il est bon de résumer.

Les Hindous disent que le corps subtil est sillonné par un grand nombre de canaux subtils - ou *nâdis* - par lesquels s'écoule le souffle vital, ou prâna. Les canaux les plus importants sont :

- la *nâdi sushumnâ*, qui suit à peu près le trajet de la moelle épinière;
- la *nâdi idâ* et la *nâdi pingâla*, ces deux derniers croisant le premier en divers endroits. Ces croisements déterminent des

---

1 *"Le noyau énergétique de l'être humain"*, Dr John C. Pierrakos, Ed. Sand..

centres énergétiques appelés chakras (ceux-ci sont situés sur la colonne vertébrale). A l'instar des deux serpents du Caducée, les courants montent en spirale, se croisent sur un axe central et déterminent ainsi les centres énergétiques.

Selon cette tradition, il y aurait sept principaux chakras :
- *mûlâdhâra-chakra*, à la base de la colonne vertébrale ;
- *svâdhishthâna-chakra*, au niveau des organes sexuels ;
- *manipûra-chakra*, à la hauteur du nombril ;
- *anâhata-chakra*, au niveau du cœur ;
- *vishuddha-chakra*, au niveau de la gorge ;
- *âjna-chakra;* entre les sourcils ;
- *sahasrâra-chakra*, au sommet du crâne.

À chacun de ces centres correspondent des glandes qui sont comme le rappel, sur le plan de la matière, du corps de lumière que nous sommes virtuellement.

La tradition de la Kabbale suggère une autre disposition. Elle distingue six centres principaux, que l'adepte doit éveiller de concert, sans privilégier l'un par rapport à l'autre :
- le centre des pieds ;
- le centre génital ;
- le centre cardiaque ;
- le centre de la gorge ;
- le centre frontal ;
- le centre coronal.

La couleur est la façon dont l'œil humain reçoit une vibration.

Chaque tradition retient une gamme spécifique qui sert de support à l'éveil spirituel.Les couleurs de cette gamme symbolisent les forces d'un monde spécifique. *"Chacune de ces forces est à la fois représentée et induite par l'emploi des couleurs qui lui correspondent"*[1]

Dans la lecture d'aura, les couleurs permettent de déterminer l'état psychologique et physiologique d'une personne.

La perception de ces couleurs subtiles est rare. Seuls les clairvoyants ou les personnes qui ont travaillé "spirituellement" parviennent à les recevoir.

Nous nous abstiendrons de citer les couleurs, car elles dépendent du niveau dans lequel les chakras sont travaillés. Remarquons que dans la Kabbale une grande importance est attribuée aux pieds qui nous relient à la terre. Le Kabbaliste

---

1 *"Philosophie et Pratique de la Haute Magie"* de M. Denning et O.Philipps, Ed. Sand.

garde présent à l'esprit que sa réalisation n'est pas dans un détachement par rapport à la matière, mais dans une fécondation de celle-ci par l'Esprit supérieur.

Quels conseils pouvons-nous donner face à une telle complexité ? Peut-être simplement celui-ci :
"Ne crois rien parce qu'on t'aura montré
le témoignage écrit de quelque Sage ancien,
Ne crois rien sur l'autorité
des Maîtres ou des Prêtres
Mais ce qui s'accordera avec ton expérience
et après une étude approfondie
satisfera ta raison et tendra vers ton bien cela tu pourras
l'accepter comme vrai
et y conformer ta vie."

Siddharta Gautama (Bouddha).

Le travail sur les chakras n'est pas neutre. Il n'est pas non plus sans danger.

Il faut de longues années, si ce n'est des vies entières pour que cette alchimie du corps physique et énergétique puisse se structurer. L'être qui en résulte est souvent un puzzle, dont les différents morceaux se sont associés en fonction des défenses qu'il faut maintenir si l'on veut protéger la sensation d'exister; le niveau de conscience qui lui est associé est fonction de la façon dont ces morceaux sont rassemblés.

Une intervention extérieure, qui modifie le taux vibratoire de ces chakras et ne se préoccupe pas de faire évoluer parallèlement la conscience, peut provoquer des états schizoïdes où l'être ne se reconnaît pas dans la nouvelle énergie qui lui est passagèrement accordée.

Un état schizoïde est un état d'"inquiétante étrangeté" par rapport au sentiment d'existence. Il peut être grave s'il persiste.

Le travail sur les chakras ne pose aucun problème si le thérapeute fait en sorte que les prises de conscience accompagnent l'accélération vibratoire.

En revanche, si la personne est lâchée dans la nature sans aucune présence accompagnatrice, elle risque de vivre cela comme un "envoûtement" – ou du moins - une certaine forme d'envoûtement. Car l'enveloppe correspondant à la conscience supérieure (la troisième enveloppe) a une vitesse de mutation beaucoup plus lente que les enveloppes électromagnétiques et émotionnelles, d'où le sentiment d'être habité par une entité étrangère.

Dans le meilleur des cas, tout le travail fait par le thérapeute est réduit à néant. Un chakra n'est pas une médaille interchangeable : il est le témoin de l'état dans lequel nous sommes; il a des relais psychophysiologiques, dont les matérialisations sont les symptômes – qu'ils soient somatiques ou psychologiques.

Mais cela ne signifie pas qu'il faille négliger cette approche. Certes, elle est l'apanage de beaucoup d'êtres de valeur, mais la prudence, en l'occurrence, est de rigueur.

CHAPITRE II

NOUS AVONS TOUS DU MAGNÉTISME

"Ai-je du magnétisme ?"

Combien de fois ai-je entendu ceci : *"Un voyant m'a dit que j'avais du magnétisme et que je pouvais soigner avec mes mains, qu'en pensez-vous ?"* ou bien : *"Lorsque j'ai massé mon ami hier, il a senti beaucoup de chaleur dans mes mains."*
Deux questions me sont alors posées :
- *"Croyez-vous que c'est du magnétisme ?"*
- *"Croyez-vous que je peux guérir les autres?"*

- "Bien entendu, vous avez du magnétisme, sinon vous ne seriez pas vivant ! Tout le monde a du magnétisme !" dois-je répondre à chaque fois.
"Le magnétisme est un agent naturel, agissant par ses propres forces, et dont l'existence et les effets sont constatés comme ceux des autres agents de la nature : lumière, chaleur, électricité" nous dit Henri Durville, ce pionnier du début du siècle. (Henri et Hector Durville furent parmi les pionniers qui étudièrent le magnétisme dans les années 1900).

Plus récemment, les travaux de Harold Saxton Burr, professeur d'anatomie à l'université de Yale et rédacteur en chef du *"Yale Journal of Biology and Medecine"*, ont mis en évidence de façon indiscutable l'existence, pour tout organisme vivant, d'un champ électrique (donc électro-magnétique puisqu'il y a mouvement permanent dans notre corps).
Grâce à son appareillage, Burr a pu dresser une véritable cartographie en déplaçant les électrodes autour de l'organisme étudié[1]. Il a pu observer des modifications de ce champ avant même l'apparition des symptômes de la maladie (cancers en l'occurrence). Burr a appelé ce champ électro-magnétique "champ vital". Je me permettrai de reprendre sa terminologie.
Voici donc la réponse à la première interrogation : chaque individu possède ce champ vital.

1 Pour toute information supplémentaire, consulter la bibliographie que donne Régis Dutheil dans son livre *"La médecine superlumineuse"*, Ed. Sand, Paris

Quant à savoir si l'on peut guérir tout le monde... c'est bien là l'objet de cet ouvrage.

Tout être vivant a du magnétisme, puisque ce qu'on appelle magnétisme (depuis Mesmer en tout cas) serait identifiable à l'énergie vitale. Mais ce que perçoivent les sensitifs est ce "crédit" d'énergie qui a besoin d'être offert à ceux qui sont momentanément débiteurs à la grande banque de l'énergie universelle.

Cette énergie est présente en toute chose, en tout être. Elle baigne l'univers. C'est elle qui assure la cohésion de notre corps, son dynamisme. C'est la trame qui tisse notre substance, la lumière qui donne la vie, l'élan qui provoque le désir. Si nous n'avions pas cette force, nous serions sans harmonie. Nous désignerons désormais cette force sous le nom d'énergie électro-magnétique.

Mais pouvons-nous systématiquement utiliser cette énergie dans la guérison ? Ce n'est pas si simple. Nous constatons a priori qu'elle agit dans deux sens : la reconstitution des tissus vivants et l'accélération des processus naturels. Nous constatons aussi que ses limites sont les nôtres.

Nous nous efforcerons d'éclaircir ce sujet vaste, au demeurant, tout au long de ce livre.

L'origine du mot "magnétisme"

Nous ne savons pas ce qu'est le magnétisme "humain". Les hommes ont tout juste su trouver un terme pour nommer un phénomène qu'ils constatent.

Pour comprendre cette dénomination, il faut revenir au siècle des Lumières. À cette époque, on refusait en bloc les explications qui avaient cours jusqu'alors pour éclairer le paranormal, l'étrange, et qui relevaient de la pensée magique. Au XVIIIe siècle, un événement vient bouleverser la société parisienne. Mesmer (médecin allemand né en 1734) s'aperçoit qu'il a le pouvoir de guérir certaines personnes par influence, par imposition des mains...

À la même époque, le champ magnétique de la magnétite - ou pierre d'aimant, découverte depuis l'antiquité par les Grecs à Magnésie (ville d'Asie Mineure) - est mesuré par Gauss. On fait immédiatement le lien entre ces deux phénomènes, magnétisme minéral et influence émanant des corps animaux. La pensée magique n'était pas loin.

Mesmer choisit donc le terme de "magnétisme animal" pour désigner cette force qu'il "ressuscite", en scientifique éclairé du siècle des Lumières. Mais l'époque préférait la raison à la foi, et Mesmer, qui avait pourtant du génie, ne put faire reconnaître son étrange découverte à l'aréopage académique qui se relevait à peine des terribles procès en sorcellerie.

Ne manquaient pourtant ni savants, ni grands érudits – que l'on pense à Franklin, au Père Gérard (procureur général de l'Ordre de la Charité), au comte de Noailles, au marquis de Montesquieu, à La Fayette, Tissart de Rouvre, etc. – pour coopérer à sa recherche.

Son travail fut jugé dangereux, car on lui prêta une action redoutable sur les gens dits "à caractère faible". On refusa donc sa théorie. Louis XVI avait oublié le fameux pouvoir de *guérir les écrouelles* qui était l'apanage de tout roi le jour de son sacre !

D'autre part, la Révolution naissante proclamait trop haut les mots *"Liberté, Égalité, Fraternité"* pour permettre à un sorcier moderne de ressusciter des fantômes. Ce rayonnement subtil qui ne relevait ni de l'intelligence ni de la connaissance, était trop inquiétant pour ceux qui prônaient la Raison. Cette étincelle de vie - qui fait la différence entre les hommes - paraissait difficilement conciliable avec les nouveaux principes d'Egalité.

Néanmoins, le magnétisme animal, par opposition au magnétisme minéral, poursuivit sous le manteau sa carrière plusieurs fois millénaire.

Aujourd'hui, des travaux de scientifiques ont mis en évidence un rayonnement autour de tout organisme. Nous pouvons étudier avec un autre regard des phénomènes autrefois perçus par les intuitifs et les poètes, même si les confusions sont inévitables.

Mesmer utilisait dans ses guérisons le *"fluide astral"*. C'est ainsi que Paracelse, grand érudit du XVIe siècle, nommait cette énergie électromagnétique maintes fois décrite et encore utilisée par certaines populations dites primitives.

Selon les traditions on l'appelle *"K'i"*, *"Prana"*, *"kuramita"* ou *"Mana"*...

Elle est perçue comme une énergie qui baigne l'univers entier et toutes ses manifestations, aussi bien le règne minéral, végétal, qu'animal ou humain, à des niveaux et des qualités de vibration différents. Sa perception, la connaissance de ses lois exigent une subtilité et une disponibilité intérieure que nous avons souvent perdues en Occident.

Nous sommes donc baignés de cette énergie qui est l'énergie vitale. Nous avons tous du magnétisme. Nous pouvons tous le développer.

Le don existe

Certains êtres ont plus d'énergie qu'il n'en faut pour leur propre consommation et peuvent en donner aux autres. Ils ont aussi le pouvoir de transformer la matière. Mgr Milingo, archevêque guérisseur de Lusaka (Zambie), à qui le Vatican a donné l'ordre, en 1983, de ne plus pratiquer de guérisons, déclare dans *"The Tablet"*, journal catholique anglais : *"Je n'avais pas discerné moi-même le don que Dieu me donnait et je ne l'avais pas demandé non plus. Mais dans sa volonté, sa bonté et son pouvoir sur moi, il me surprit en me faisant un tel cadeau."*

Pour beaucoup, ce don est une qualité innée de médiumnité. Certains seront saints, prophètes ou hommes de Dieu, quel que soit Son Nom. D'autres se sont vu transmettre un "secret".

Nous ne pouvons que constater des prédispositions particulières chez certaines personnes, sans en avoir l'explication. Mais cette énergie étant universellement attribuée, nous sommes persuadés que de nombreuses personnes ont ce don sans le savoir.

Reconnaître l'existence de cette énergie n'a pas pour corollaire la remise en cause de notre acquis scientifique. Au contraire, la porte s'ouvre sur d'immenses champs d'investigation. Soyons donc attentifs et sachons démystifier cet univers.

Le magnétisme serait-il réservé aux surdoués ? Certainement pas : nous pouvons tous emprunter ce chemin, à condition de conserver au cœur le désir, la pureté d'intention, la sagesse et le discernement.

Nous nous apercevrons, tout au long de ce livre, que plus cette énergie devient subtile, plus elle est conscience.

Deux exercices simples pour vous permettre de sentir cette énergie.

1) Placez le pouce et l'index à trois ou quatre millimètres l'un de l'autre, devant un fond homogène, et regardez attentivement entre les deux doigts pendant quelques minutes .

Vous apercevrez bientôt comme une petite pile d'assiettes qui se forme entre les deux doigts et un halo brumeux de un ou deux millimètres autour de chaque doigt. Vous pouvez vous amuser à écarter et à rapprocher les doigts : peut-être verrez-vous "l'aura électromagnétique" des deux doigts se coller puis se disjoindre en formant un double cône.

2) Placez les paumes des mains l'une en face de l'autre, soit à 20 centimètres du thorax, soit au-dessus de votre tête. Ecartez puis rapprochez doucement les paumes l'une de l'autre, en prenant conscience de la chaleur qui se dégage progressivement entre elles deux. Petit à petit, vous aurez l'impression de malaxer une boule d'énergie qui va s'amplifier de plus en plus. C'est votre énergie !

Avez-vous de l'intuition ?

Seuls les intuitifs s'intéressent au magnétisme. Nombreuses sont les personnes qui possèdent de réels dons de magnétisme et qui n'éprouvent aucun intérêt pour ce domaine. Conjuguée au magnétisme, l'intuition peut faire de nous de véritables thérapeutes.

Apprendre quelques gestes simples nous aide déjà à soulager l'entourage d'un simple "bobo" – un bouton, une éraflure, un mal de tête, une douleur –, autant de petites misères qui alimentent le quotidien et qui se guérissent d'un simple geste de la main.

L'intérêt pour la guérison est donc affaire de personnalité. Certains s'épanouiront dans l'activité, d'autres dans la réceptivité.

Le magnétisme exige des qualités de sensibilité et de réceptivité.

Posez-vous les bonnes questions

Le questionnaire qui suit vous aidera à savoir si vous avez ou non des prédispositions pour explorer cet univers :

	Oui	Non
1. Percevez-vous sans l'avoir vue ni entendue la présence de quelqu'un près de vous ?		
2. Vous est-il déjà arrivé de sentir que quelqu'un a séjourné dans une pièce avant vous ?		
3. Sentez-vous vos mains plus chaudes, ou picotantes, par moments ?		
4. Sentez-vous la chaleur que dégage quelqu'un à vos côtés ?		
5. Voyez-vous le halo lumineux autour des gens ?		
6. Avez-vous des visions qui ne vous semblent pas provenir de votre imagination?		
7. En amour, percevez-vous les qualités énergétiques de votre partenaire ?		
8. Avez-vous déjà eu des rêves prémonitoires, ou des rêves d'enseignement ?		
9. Avez-vous eu de très graves maladies (physiques ou psychiques), ou des accidents ou des NDE (Near Death Experience : expérience proche de la mort) ?		
10. Vous est-il arrivé des phénomènes de synchronicité (vous pensez à un événement et il se produit) ?		
11. Vous a-t-on déjà fait remarquer qu'en votre présence on se sentait mieux ?		
12. Percevez-vous que l'on pense à vous ?		
13. Percevez-vous à distance qu'un ami est souffrant ?		
14. Avez-vous vécu spontanément des "sorties hors du corps" ?		

De 10 à 14 oui : vous êtes très sensitif et vous le savez sûrement. Vous pouvez parfois vous sentir fragile du fait de votre trop grande sensibilité.Faites-en une qualité, acceptez-la et travaillez-la. Votre magnétisme et votre positivité seront nécessaires à votre entourage. Votre travail est d'aider les autres et de vous aimer.

De 5 à 10 oui : vous êtes sur le chemin de la découverte.Les événements et la curiosité vont affirmer vos intuitions. Vous avez de grandes possibilités. Il vous arrive parfois de les redouter.Libre à vous d'aller plus loin, car vous aimez qu'on vous laisse libre.Mais si quelqu'un a besoin de vous, vous saurez vous y mettre.

De 0 à 5 oui : vous êtes peut-être un ultra émetteur, mais pas un récepteur !
Vous a-t-on appris à ne plus rien ressentir ? Cela ne signifie nullement que vous ne possédez pas des dons de magnétisme (répétons-le : tout le monde en a) ! Faites donc confiance à votre être profond et à ses appels. Ecoutez-vous en suivant ces deux mots-clés : "rêve" et "confiance", et un autre univers s'ouvrira pour vous si vous le désirez.

La diversité des questions appelle quelques précisions. Reprenons une à une chacune de nos interrogations.

1. Percevez-vous sans l'avoir vue ni entendue la présence de quelqu'un près de vous ?

Tout corps émet des vibrations. Il s'agit non seulement de son énergie vitale - celle que j'ai appelée "électromagnétique" - mais aussi de son intention, de sa pensée.
Si quelqu'un s'approche de vous silencieusement pour vous surprendre, il est très fortement concentré sur ce qu'il fait. Sa pensée en est d'autant plus intense. Si vous êtes sensible, vous pouvez la percevoir.
Il peut aussi jouer l'homme invisible : la technique, comparable au principe de l'implosion, consiste à rétracter au maximum vers le dedans du corps toute émission psychique.

2. Vous est-il arrivé de sentir que quelqu'un a séjourné dans une pièce avant vous ?

Nous imprégnons notre environnement, là où nous passons. Nos objets familiers, nos vêtements sont pleins de nous. De notre odeur, mais aussi de nos énergies qui ont laissé là leurs traces.

C'est la raison pour laquelle certains psychologues conseillent aux mamans de laisser un vêtement qu'elles ont porté, quand elles confient leur bébé à une personne étrangère. Les plus cartésiens pensent que tout cela n'est qu'une question d'odeur, mais les poètes savent intuitivement que l'enjeu est ailleurs !

Lorsque j'assiste à une conférence, j'aime observer le manteau du conférencier posé sur une chaise voisine : il émane de lui un rayonnement similaire à celui du conférencier !

Les objets que nous touchons absorbent notre énergie et brillent de notre aura. En pénétrant dans certains lieux, nous avons tous éprouvé la sensation qu'il a été habité. Parfois même, nous sentons comment il a été habité. Quand nous entrons dans une maison, instinctivement, nous l'aimons ou nous la rejetons. Nous sommes encore plus réceptifs quand il s'agit de choisir un lieu d'habitation.

Il ne faut pas pour autant devenir superstitieux, se laisser intimider et fuir ces espaces qui nous sont antipathiques : imprégnons-les à notre tour de notre présence qui est, cela va sans dire, beaucoup plus positive. Ou bien procédons à un nettoyage psychique : avec une brosse et un balai imaginaires, effectuons le grand nettoyage de printemps !

Nous reviendrons dans le dernier chapitre sur ce phénomène de vibration d'un lieu.

3. Sentez-vous vos mains plus chaudes, ou picotantes, par moments ?

Nous avons des cycles d'énergie. Cette énergie irradie parfois très intensément par les mains, par la zone cardiaque ou par la gorge. A d'autres moments, nous avons froid.

Il peut s'agir aussi, indépendamment de ces cycles, d'un élan d'amour, d'un enthousiasme, qui échappe à notre contrôle. Pour qui se connaît bien, c'est le meilleur moment pour "magnétiser". Souvent, cela se fera à notre insu.

4. Sentez-vous la chaleur que dégage quelqu'un à vos côtés ?

Il y a la chaleur thermique, bien sûr : les trente-sept degrés de notre poêle intérieur qui ne manqueront pas de réchauffer notre voisinage.

Mais il y a également la "chaleur magnétique", qui est indépendante de la première; elle peut même être fraîche. Elle est néanmoins perçue comme de l'énergie et peut faire monter la température de notre voisin !

5. Voyez-vous le halo lumineux autour des gens ?

Il s'agit bien sûr de l'aura.

La plupart du temps, nous la voyons sans le savoir, surtout lorsque nous sommes fatigués. Elle apparaît comme un espace plus flou et plus lumineux autour de la personne.

6. Avez-vous des visions qui ne vous semblent pas provenir de votre imagination ?

Nous n'évoquons pas les délires paranoïaques qui peuvent se manifester par des images dont la teneur est négative et persécutrice. Nous faisons ici allusion aux "flashs" qui nous prennent au dépourvu, et qui n'ont aucun lien avec notre monde imaginaire du moment, même si notre psyché, par nature, est sélective.

Ce sont des images de voyance. Certains individus ont un don de voyance. Celle-ci peut se manifester sous forme d'images. Ou sous forme d'intuition. elle peut utiliser d'autres canaux sensoriels. Elle facilite le diagnostic d'un problème de santé. Quelques médecins acceptent maintenant de travailler en collaboration avec des voyants ou des radiesthésistes.

Cependant la voyance nécessite beaucoup de discernement, car au-delà de l'acte instinctif de voyance - apanage de la majorité des voyants - il faut non seulement avoir l'intelligence de l'interpréter en fonction de la psychologie de l'autre, mais aussi en fonction de sa psychologie propre , ce qui implique, n'est ce pas, d'être déjà clairvoyant pour soi-même !

C'est cette association du don et de l'intelligence qui fait la grande qualité et la notoriété d'une voyante telle que Yaguel Didier.

7. En amour, percevez-vous les qualités énergétiques de votre partenaire ?

Cet art, cultivé par les tantristes des grandes traditions, est malheureusement perdu pour nous. Il permettait d'aller au-delà des projections psychologiques en utilisant l'énergie subtile.

Les rencontres amoureuses intenses sont souvent un phénomène énergétique. Les corps s'entendent instinctivement, les énergies s'harmonisent. Certains êtres possèdent un magnétisme sexuel qui attire irrésistiblement. Peut-être avez-vous déjà perçu cette qualité chez votre partenaire ?

L'entente sexuelle n'a rien à voir avec la beauté ni la mécanique Elle est beaucoup plus subtile, chacun le sait intuitivement : il y a des corps qui parlent et d'autres qui se sont tus.

8. Avez-vous des rêves prémonitoires, ou des rêves d'enseignement ?

Ici aussi, le voile qui sépare l'univers espace-temps que nous connaissons se déchire; il s'ouvre alors sur un monde que Régis Dutheil[1], docteur en médecine et physicien fondamentaliste, appelle "l'univers superlumineux". Nous y reviendrons dans notre dernier chapitre, lorsque nous tenterons d'expliquer ces phénomènes à la lumière des grandes traditions.

Les rêves de ce type sont importants. Ils se manifestent non seulement par une qualité et une intensité particulières de l'image, mais aussi par des symboles "collectifs ou bien appartenant à la psyché personnelle de chaque individu" (Ania Teillard, *"Ce que disent les rêves"*, Ed. Stock Plus). Il n'y a pas de règle en ce domaine et personne n'a pu établir les lois qui régissent le monde du rêve prémonitoire. Le futur perçu dans ces rêves est une probabilité et non une certitude.

En voici deux illustrations : *Un homme rêve un jour qu'il est sur son balcon. Il s'appuie sur la balustrade qui cède sous son poids... Réveil. Sueurs froides. L'homme, qui croit aux messages des rêves, inspecte son balcon et s'aperçoit qu'un des rivets de la balustrade est descellé. Il le fait aussitôt réparer... et ne tombe pas !*

Robert Moriss, citoyen américain du XVIIIe siècle, aura moins de chance : *Il rêva qu'il était tué par une salve de canon tirée en son honneur par un navire étranger. Or il devait effectivement en visiter un sous peu. Moriss tenta donc d'annuler le*

---

1 Auteur de l'ouvrage *"L'homme superlumineux"*, Ed. Sand, Paris.

rendez-vous. Impossible, pour des raisons diplomatiques. Il dut finalement se contenter de demander au capitaine du vaisseau de ne tirer la salve qu'après son départ. Affaire conclue. Le capitaine devait prévenir les artilleurs que le moment était venu en levant le bras. Ce qu'il fit, mais par inadvertance pour chasser une mouche agaçante. Moriss qui était encore à bord, fut touché au bras et mourut quelque temps plus tard des suites de l'infection de sa blessure. Voilà qui laisse rêver...

Un de mes amis repérait ces sortes de rêves parce qu'ils exprimaient l'idée contraire de ce qui allait se passer.

Il en est qui voient l'événement exactement comme il surgira dans la réalité. D'autres encore auront un "symbole annonciateur". D'autres enfin rêvent qu'ils se cassent une jambe et ils se retrouveront, eux ou un ami, avec un bras cassé...

Chaque rêveur apprend à décoder son message. Beaucoup de mes relations se plaignent de cette lourde responsabilité, de leur angoisse, quand ils reconnaissent ce type de rêve.

Il faut les prendre comme la possibilité qui nous est donnée d'agir contre l'événement, s'il est négatif. C'est parfois possible. Notre libre arbitre existe en partie. Mais la sagesse recommande aussi d'accepter le déroulement de la vie dans ses projets, dont nous ne connaissons pas le secret aboutissement.

Les "rêves d'enseignement" sont des cadeaux offerts à ceux qui sont sur une voie de recherche : *Creusez, fouillez, bêchez, ne laissez nulle place où la main ne passe et repasse.*

Les conseils que La Fontaine nous prodigue sont à méditer. Labourons notre conscience et nous y retrouverons nos trésors, car ils sont déjà là. Ces rêves sont un enseignement que nous donne notre "moi supérieur". Ils nous apportent une connaissance - qui est plus qu'un savoir - car le processus du rêve nous permet à la fois d'expérimenter et de comprendre.

9. Avez-vous eu de très graves maladies (physiques ou psychiques), ou des accidents ou des NDE (expériences proches de la mort) ?

Nous pouvons concevoir la vie de deux manières : c'est un peu comme une histoire de bouteille à moitié remplie.

Supposons que nous voyons la bouteille à moitié vide : ces événements seront catastrophiques et entraîneront une réduction de vie, un traumatisme qui sera gardé bien au chaud afin d'en cultiver les fleurs négatives.

Si, par contre, nous considérons la bouteille comme à moitié pleine, ce même événement deviendra un catalyseur et entraînera une prise de conscience qui peut susciter un remaniement de notre destin.

La souffrance est un moteur puissant pour "ouvrir" l'être. Les chamans la conçoivent comme le signe d'un pouvoir de guérison. La maladie devient le point de départ d'une initiation qui donnera au chaman des pouvoirs exceptionnels pour guérir la tribu : *"ses pouvoirs surhumains, il les a acquis dans la souffrance et la terreur et, quand il sort de ce combat dramatique (ce qui n'est jamais assuré), il est alors détenteur d'une force hautement spirituelle..."*[1]

Le psychothérapeute peut, lui aussi, aider son patient à trouver un sens à sa souffrance. Mais l'orgueil et l'ignorance de notre société nous font préférer des médicaments qui oblitèrent cette prise de conscience. Il ne s'agit pas de nier la nécessité des médicaments, mais de rappeler que leur utilisation est parfois abusive.

10. Vous est-il arrivé des phénomènes de synchronicité ?

La synchronicité est un phénomène étrange qui voit un événement présent dans la pensée s'actualiser dans le réel.

Une de mes amies, professeur de littérature, lisait à ses élèves un poème dans lequel il était question de grands oiseaux noirs, lorsqu'elle entendit un coup contre la vitre de la classe et aperçut la forme d'un grand oiseau noir vacillant sous le choc.

Jung a longuement étudié ces phénomènes. Ils sont finalement assez courants. Les synchronicités surviennent plus particulièrement lorsque nous sommes dans un état de grande intensité intérieure.

11. Vous a-t-on déjà fait remarquer qu'en votre présence on se sentait mieux ?

Si oui, c'est bon signe. Vous dégagez probablement une énergie apaisante ou reconstituante; vous n'êtes pas un "vampire" d'énergie, comme le sont souvent les grands dépressifs,

---

1 Mario Mercier, *"Chamanisme et chamans"*, Ed. Dangles.

ou les personnes qui ne savent pas se prendre en charge. Vous pouvez aider les autres.

Nous pouvons être tantôt vampires, tantôt donneurs d'énergie. Tout dépend de nos projections inconscientes sur ceux qui nous entourent. En situation de stress, nous "pompons" les autres, alors qu'à l'évidence nous pouvons être thérapeutes quand nous sommes sereins.

12. Percevez-vous quand quelqu'un pense à vous ?

Nous connaissons tous cette expression que nous utilisons quand nous évoquons entre amis une tierce personne.: *"il doit avoir les oreilles qui bourdonnent"*,

L'expression est à prendre à la lettre : si nous sommes la personne concernée, nos pensées et notre corps sont comme agités par une imperceptible sensation de malaise ou de bien-être, selon les jugements émis.

13. Percevez-vous à distance qu'un ami est souffrant ?

Cette perception est fréquente, surtout si l'un de nos proches est dans une situation de conflit, de danger ou de mort. Notre corps peut alors se trouver vidé d'énergie et nous nous sentons au bord de l'évanouissement. Nous ne comprenons pas ce qui nous arrive, car "cela" semble venir de l'extérieur.

Si nous nous connaissons, nous avons alors de justes raisons de nous inquiéter. Non pas pour nous, mais pour cette personne qui nous est chère.

Le fait de nous identifier inconsciemment à ceux que nous aimons nous donne les moyens de les percevoir à distance. Nous nous sentons alors dans un état curieux.

Il est bon de se poser la question : *"pourquoi suis-je dans cet état, est-ce que cela vient de moi ?"* Si nous faisons le calme en nous, nous sentirons que cet état ne nous appartient pas. Nous pouvons alors diffuser ce calme à notre proche, jusqu'à ce que nous le percevions plus serein, comme "nettoyé".

14. Avez-vous vécu spontanément des "sorties" hors du corps ?

Ce phénomène est bien moins rare qu'on ne le pense. Il

nous arrive par surprise, souvent lors d'un état de choc, mais aussi très simplement lors d'une innocente sieste.

Le corps énergétique se retrouve alors au plafond et se surprend à observer cette enveloppe charnelle en train de reposer sur le lit. Certains individus ont tellement peur qu'instantanément ils réintègrent leur corps.

Cet événement peut provoquer des chocs cardiaques ou cardio-vasculaires. Là aussi, la prudence est de mise. Néanmoins, il est très riche d'enseignement, car il nous fait "décoller" de notre mental limitatif et nous met en relation avec d'autres évidences.

On évitera quand même cette expérience si nous sommes néophytes ! Nous risquerions d'y perdre notre "chef". Voici d'ailleurs un conte indonésien qui illustre ce danger :

Il y a longtemps, très longtemps de cela, sur l'île de Bali, régnait le roi Sri Tapoloung, que l'on surnommait Omniscient. Il en savait sur toutes choses; il connaissait des tours de magie étranges... On disait de lui qu'il était capable d'ordonner à son âme de quitter son corps et d'entreprendre de lointains voyages au pays miraculeux des Dieux. Quelqu'un a même raconté qu'il avait vu le roi en haut du Mont Batour, assis et sans tête, un serpent venimeux ayant fait son nid dans le trou de son cou. Ce serpent gardait le corps du roi tant que la tête n'était pas redescendue du ciel.

Mais un jour, la tête mettant trop de temps à redescendre, le conseiller fidèle s'en inquiéta et, jouant l'apprenti sorcier, trancha la tête d'un cochon sauvage qui furetait dans les parages, avec l'idée qu'il valait mieux un roi à tête de cochon qu'un roi sans tête, l'âme du roi réintégrerait de toute façon le cerveau du cochon. Quand la tête du roi voulut se mettre sur son corps, elle eut une petite surprise : la place était occupée !

La vilaine bête grogna : "Je t'apporte, frère, une nouvelle étrange : le noble Omniscient a une tête de porc. Si tu veux régner sous cette forme étrange, mets ton âme de roi dans la tête de porc ! "[1]

Sage leçon en effet : à vouloir jouer à ce jeu, ce n'est pas la tête de porc que nous risquons de récupérer, mais peut-être l'âme du porc. Ce travail exige une longue initiation.

---

1 *"Le roi qui a changé de tête"*, conte indonésien, Grund Editeur.

Nombreux sont ceux qui pourront répondre positivement à la plupart de ces questions.

Notre inconscient sait tout, mais le passage entre l'inconscient et le conscient est plus ou moins ouvert selon chacun. Il peut être travaillé, mais avec prudence.

Pour le magnétisme, nous avons besoin de cette sensibilité et de cette intuition. Nous devons être à la fois capable de percevoir, (de nous "identifier") et aussi d'être conscients de cette identification pour maîtriser notre action.

Ce ne sont pas des forces divines qui agiraient à travers nous, mais bien notre propre énergie. Celle-ci est loin d'être divine hélas ! parce que pleine de nos affects, de nos représentations inconscientes - à la fois lumières et ombres. Telle est, après tout, notre richesse !

CHAPITRE III

LE MAGNÉTISME, MODE D'EMPLOI

"Que la voix en votre voix parle à l'oreille de son oreille."

Khalil Gibran

Le précédent chapitre donne un avant-goût de la complexité des phénomènes liés au magnétisme. Nous vous proposons maintenant une approche plus pragmatique, car être circonspect ne signifie pas que l'on reste inactif.

Nous travaillerons, tout d'abord, avec le "magnétisme animal", ce potentiel d'énergie vitale que nous supposons avoir de surcroît. Cela concernera le corps, son enveloppe éthérique - ou électromagnétique - et immanquablement son enveloppe astrale, c'est-à-dire notre inconscient affectif et émotionnel.

LA MAGNÉTISATION

Vous pouvez transmettre par les mains

Nous sommes vibrants de cette énergie. Mais comment pouvons-nous en faire quelque chose?

Comme les fées, nous avons besoin d'une baguette magique. Comme l'ermite du Tarot, il nous faut un bâton pour agir.

Nous avons le désir de donner cette énergie.

Il nous faut donc un premier outil : ce seront nos mains.

Nos mains absorbent et diffusent l'énergie. Dirigées vers le ciel, elles absorbent l'énergie céleste (et l'idée qu'on s'en fait); dirigées vers le bas, elles emmagasinent l'énergie terrestre.

Cette absorption se fait par la paume - sur une superficie de trois centimètres carrés environ - et par les doigts. Elle se répand ensuite vers les phalanges et nous pouvons la voir comme des lasers lumineux qui filent par le bout des doigts, chacun de ces lasers pouvant avoir une couleur différente.

Elle se diffuse par la paume de la main.
Elle circule enfin vers le bras, suivant trois orientations :
- la première "branche" rejoint la tête de l'humérus, en passant par la face interne du bras;
- la deuxième "branche" rejoint la partie externe de l'articulation du coude;
- la troisième "branche" rejoint la partie externe opposée à cette même articulation.

Ces trajets, nous le comprenons bien, ne suivent pas le tracé des circuits nerveux. Ils sont une construction de l'homme sur un modèle analogique, comme peut être l'acupuncture (ou l'homéopatie, dans une certaine mesure).

Il s'agit de notre corps imaginaire qui, par une mystérieuse magie, sculpte le corps réel. Ce n'est pas parce qu'il est une création de l'homme qu'il ne fonctionne pas. Ne dit-on pas fréquemment que Dieu fit l'homme à son image... et que ce dernier le lui rendit bien ? La proposition peut tout aussi bien s'inverser : l'homme fit Dieu à son image, et celui-ci le lui rendit dans ses corps imaginaires.

Le corps imaginaire est aussi celui d'une culture : les Chinois modernes n'ont-ils pas trouvé de nouveaux méridiens au détecteur de points !

Pour notre initiation d'aujourd'hui, nous reprendrons en partie la vision proposée par Véronique Carpentier, une jeune clairvoyante, qui a eu l'occasion de travailler avec plusieurs chercheurs.

Beaucoup d'enfants naissent avec ce don, mais leurs parents ne s'en rendent pas compte et adoptent au contraire une attitude éducative répressive (il faut d'ailleurs admettre que ces chérubins sont parfois déconcertants). Un ami voyant me raconta qu'enfant, il était sommé d'embrasser sa grand-mère et de lui souhaiter bonne nuit avant d'aller se coucher. Un soir, il eut la malencontreuse initiative de déclarer qu'il fallait l'embrasser plutôt deux fois qu'une car elle serait morte le lendemain matin. Le moment de stupéfaction passé, cela lui valut une vigoureuse fessée de la part de ses parents... mais le lendemain on retrouva quand même la grand-mère morte !

Il existe donc un échange permanent d'énergies entre nous

et notre environnement. Nous trouvons ainsi en permanence des ressources dans la terre, dans le ciel et dans bien d'autres choses encore. L'air nous ressource aussi, surtout si nous l'inspirons avec conscience.

Mais continuons pour le moment sur un plan pratique. Les mains absorbent donc et diffusent l'énergie. Considérons-les comme notre premier outil.

Les pieds absorbent pour leur part l'énergie de la terre; si nous pouvions encore marcher pieds nus sur le sol, nous aurions moins de problèmes de dépression.

D'après la vision de Véronique Carpentier, l'absorption se fait suivant trois modes différents :
- le talon absorbe très profondément l'énergie terrestre et la transmet au réseau dorsal du corps;
- la voûte plantaire réceptionne les énergies des couches plus superficielles, qui se diffusent directement dans l'ensemble du corps. Cette zone tendrait à diminuer avec l'âge ;
- le dessous du gros orteil capte la part la plus subtile des énergies terrestres et la diffuse sur le réseau frontal.

Ces observations, dans un premier temps, nous permettrons de construire notre propre système de représentation, afin d'opérer des conversions d'énergie entre nous et notre environnement.
Voici, pour commencer, quelques exercices.

Exercice

Exercice n°1

> *Le but est d'apprendre à respirer en "carré"* :
> - inspirez par le nez, pendant quatre temps ;
> - retenez votre respiration, pendant quatre temps ;
> - expirez, pendant quatre temps ;
> - restez les poumons vides pendant quatre temps.

Vous pouvez choisir les battements du cœur comme tempo et recommencer autant de fois que vous le désirez.

Exercice n°2

Prenez un objet à magnétiser, que vous placez devant vous. Cela peut être un bibelot, un bijou...
Reprenez votre respiration en "carré", mais cette fois :
- à l'inspiration, imaginez que vous êtes en train d'absorber l'énergie de l'air qui vous entoure ;
- pendant la rétention, gardez cette énergie dans la poitrine ;
- à l'expiration, diffusez-la dans vos bras, et dans vos mains qui la projetteront sur l'objet ;
- durant la rétention suivante, imaginez que l'énergie pénètre et se diffuse dans l'objet.

Poursuivez l'exercice jusqu'à ce que vous sentiez la chaleur irradier de vos mains.

Exercice n°3

A présent, levez les bras vers le soleil.
S'il n'y a pas de soleil, cela n'a aucune espèce d'importance : l'essentiel étant la représentation que vous vous faites du soleil.
Nous effectuons ainsi une translation très importante : celle de l'objet réel à sa représentation. Le soleil étant un symbole universel de vie, de force et de lumière, notre psyché peut opérer très facilement cette translation .
Reprenez alors votre respiration en "carré" :
- A l'inspiration, absorbez l'énergie du soleil ;
- Pendant la rétention, diffusez-la autour de votre cœur ;
- A l'expiration, dirigez-la vers les mains;
- Durant la rétention suivante, visualisez-la : elle est en train de se diffuser sur l'objet que vous magnétisez.

Exercice n°4

Opérez de la même manière, mais cette fois avec l'énergie de la terre, en l'aspirant par les pieds :
- à l'inspiration, absorbez l'énergie de la terre par les pieds ;
- pendant la rétention, gardez-la dans votre bassin ;
- à l'expiration, dirigez-la vers l'objet, en passant par les mains ;
- durant la rétention suivante, visualisez-la : celle est en train de se diffuser dans l'objet.

Les énergies captées au niveau de la poitrine et du bassin sont de natures différentes.

Celles qui montent par les pieds, et qui seront par la suite ressenties dans le bassin, sont d'ordre "instinctivo-moteur".

Celles que nous aspirons par les mains sont d'ordre affectif.

N'oublions pas, là aussi, que c'est l'imaginaire de l'homme et du cosmos qui le veut. Il ne s'agit pas d'en faire une règle stricte. Il est simplement bon - et recommandé - de nous mettre en harmonie avec ce que nous ressentons, avec nos intuitions les plus profondes.

Il est temps à présent de faire un premier bilan

	Oui	Non
- Avez-vous trouvé votre rythme respiratoire sans vous fatiguer ?		
- Pouvez-vous visualiser facilement ?		
- Sentez-vous vos mains plus chaudes après la diffusion d'énergie ?		
- Une énergie - air, feu ou terre vous convient-elle mieux ?		
- Percevez-vous les différences entre leur nature ?		

Si vous pouvez répondre positivement aux trois premières questions, vous avez acquis les bases du magnétisme.Le reste suivra avec l'expérience.

Ces exercices, très simples, sont fondamentaux pour commencer à pratiquer le magnétisme. N'hésitez pas à les reprendre jusqu'à ce qu'ils deviennent une seconde nature.

L'exercice de respiration à quatre temps, avec écoute du cœur simultanée, nous enseigne peu à peu la maîtrise des émotions qui, comme nous le savons, ont un impact direct - à partir du plexus solaire - sur le rythme cardiaque et respiratoire. Ce sera donc une acquisition précieuse si vous désirez aller plus avant dans ce domaine. Mais ne soyons pas des stakhanovistes de la respiration. J'ai trop souvent rencontré des adeptes du Yoga qui ne savaient plus respirer pour eux-mêmes : ils respiraient pour leur "super-égo" !

Il est nécessaire d'être à l'écoute de ses rythmes intérieurs, de les irradier de conscience avant de pouvoir envisager d'amplifier la respiration. Nous avons vu que notre mental est friand d'objets ! Il ne demande qu'à s'occuper : s'il peut rendre la respiration obsédante, il sera ravi. Il opère comme de la gelée en sachet (pour les esprits moins portés sur l'art culinaire, nous dirons qu'il pétrifie...)

Nous venons d'introduire trois notions très importantes : la représentation, la visualisation et le symbole. Laissons de côté, pour le moment, le concept de représentation. Il sera explicité ultérieurement. Faisons plutôt un petit tour du côté de l'imagination et du symbole.

L'imagination

"Réduire l'imagination en esclavage, quand bien même il y aurait de ce qu'on appelle grossièrement le bonheur, c'est se dérober à tout ce qu'on trouve, au fond de soi, de justice suprême..." Ce cri du cœur d'André Breton, dans son *"Manifeste du surréalisme"*, est l'indice de la trop grande indigence dans laquelle les siècles passés ont contenu l'imagination.

Gilbert Durand[1] nous rappelle qu'elle était considérée comme *"l'ombre d'objet"*, ou *"l'objet fantôme"*; l'imagination effrayait terriblement et l'on peut "imaginer" justement les fantasmes inconscients que nos Anciens devaient refouler !

La psychanalyse, quant à elle, a longtemps considéré les images comme le résultat d'un conflit entre les pulsions et leur refoulement social. Ce qui n'est pas faux pour une partie d'entre elles. Mais on ne peut pas étendre cette définition à l'ensemble de l'imagination, car sa fonction fondamentale est d'une autre nature. Méditons plutôt cette anagramme : IMAGE-MAGIE.

1 *"Les structures anthropologiques de l'imaginaire"*, Gilbert Durand, Ed. Dunod.

Il apparaît nécessaire de poser dès maintenant "l'image" et d'en souligner l'importance majeure, car elle est présente dans tous nos travaux.

Aujourd'hui, Dieu merci, on ne méprise plus l'imagination. Les travaux de Jung et des maîtres du rêve éveillé - Desoille, Frétigny, Virel, etc... - nous permettent d'en découvrir la merveilleuse alchimie. Bachelard n'a-t-il pas dit que *"l'imagination est l'hormone des sens"* ?

La visualisation doit être considérée comme une discipline nécessaire, un exercice de l'image qui engendre son propre levain.

La faculté de visualisation est très inégalement répartie chez les individus. Nous pensons que cette fonction est innée et qu'elle se manifeste avec intensité chez l'enfant normal. Par l'exercice de l'imagination, l'enfant crée un système adaptatif entre son monde intérieur - encore très imprégné des réminiscences du monde dont il vient d'être séparé par son "incarnation" (le monde pré-verbal) - et le monde concret, où espace et temps ne jouent plus des gammes que sur une seule octave.

Ce que l'on appelle le tempérament entre pour une grande part dans cette faculté à imaginer et à visualiser. En astrologie, les enfants très marqués par les influences lunaires - les enfants du cancer, par exemple - donneront des êtres très imaginatifs, "dans la lune".

Je reste cependant persuadée que les difficultés à visualiser résultent de la nécessité, pour l'enfant, de refouler certaines images. Soit parce que son milieu l'a contraint à s'adapter trop tôt aux valeurs adultes, soit parce que le déséquilibre familial - les conflits inconscients des parents - a fait surgir des images terrifiantes qu'il a dû aussitôt refouler.

L'enfant retrouve ces images terrifiantes dans ses rêves : ce sont les cauchemars. Si les parents ne lui apprennent pas à gérer ces images, il sera peu à peu obligé de refouler le souvenir même de ses rêves : il annihilera complètement son monde imaginaire pour pouvoir s'adapter au monde dit "réel"... ce qui se traduira plus tard par toute la gamme des maladies "psychosomatiques". Par où, en ce cas, pourrait passer l'énergie ? Le rêve, qui est pourtant sensé donner une deuxième vie - celle que l'on ne peut absolument pas vivre dans le réel -, se voit complètement boycotté ! Puisque "rien ne se perd et rien ne se crée", l'énergie, qui a besoin d'exutoire, choisit les fonctions corporelles... pour le pire en général.

Dans ces premiers exercices, nous proposons de visualiser l'énergie du soleil, de l'air ou de la terre, qui pénètre à l'intérieur de notre corps et qui se diffuse dans celui-ci, avant de venir se "stocker" au niveau de la poitrine.

La poitrine et les bras sont des lieux du corps dédiés à l'amour, au don de soi, à l'élan affectif. Pour accueillir un petit enfant dans les bras, nous les ouvrons largement et notre cœur est plein d'élan. Inconsciemment, il s'est réellement ouvert, transporté par l'amour que nous avons pour l'enfant (ou l'être aimé) : une énergie irradie alors naturellement, qui va baigner de bien-être celui que nous accueillons contre nous. Visualiser notre énergie à ce niveau ne devrait donc pas poser trop de problèmes.

Avec la maîtrise de l'image, nous ne remplacerons jamais l'amour véritable, mais nous apprendrons à creuser de nouveaux canaux sélectifs, pour être capable à notre tour de transmettre ladite image ou tout simplement de recharger notre propre énergie.

La visualisation

La visualisation est un exercice des forces en jeu dans le processus de l'imagination. Elle n'est pas imagination pure - puisqu'elle est création volontaire d'images - mais elle aidera, nous le pensons, à retrouver le chemin de l'essence de l'imaginaire. En effet, par un procédé mystérieux, propre à l'alchimie de la conscience, la visualisation déchire des voiles.

Exercer le champ de la vision intérieure est à la base de toutes les ascèses : yoga, chamanisme, Kabbale, etc... Nous aurons l'occasion d'en reparler plus longuement.

Si nous éprouvons des difficultés à saisir ces images intérieures, nous pouvons faire quelques petits exercices.

Exercice n°1

Regardez un objet. Fixez l'image de cet objet sur votre rétine. Puis, fermez les yeux pour "reformer" l'objet sur votre écran intérieur. Recommencez jusqu'à ce que vous y arriviez.

Exercice n°2

Il est plein de poésie et nous l'avons tous déjà fait. Il s'agit pour vous de fixer le soleil, quelques secondes seulement, sans vous aveugler. Puis fermez les yeux en appuyant éventuellement sur vos paupières pour faciliter le processus.

Vous verrez alors se former, derrière la paupière, de magnifiques couleurs. Allez plus loin, par un simple effort de volonté. Modifiez les images, donnez-leur un sens, transformez-les en symboles[1].

Exercice n°3

Il s'agit d'une méditation sur un véritable symbole. Les méditations sur les symboles, on le sait, structurent la psyché dans un sens particulier. Aussi, vous choisirez un symbole pur : vous pourriez dessiner une forme géométrique liée à un nombre, un triangle équilatéral par exemple .

Vous le placez ensuite devant vous. Fixez-le pendant quelques minutes; laissez le regard extérieur se mêler au regard subjectif. Puis fermez les yeux et laissez votre pensée la plus libre possible.

La visualisation s'exerce donc. Plus elle devient précise, et intense, plus elle est créatrice d'images : d'image nous passons à "magie" !

Le symbole

Le sujet est si vaste et la littérature à son propos si passionnante, que nous devons dès à présent nous limiter pour traiter de la nature du symbole. Nous renvoyons le lecteur intéressé par cette question aux nombreux ouvrages qui lui sont dédiés.

Il est assez singulier que, dans le *"Petit Robert"*, singulièrement le mot *"symbole"* trouve place entre *"symbiose"* et *"symétrie"*. Le dictionnaire donne la définition suivante : *"être, objet ou fait qui, par sa forme ou sa nature, évoque spontanément (dans une société ou une civilisation donnée) quelque chose d'abstrait ou d'absent."*

[1] Ces exercices de phosphénisme ont été étudiés par le Docteur Lefébure

Etymologiquement, "symbole" vient du Grec *"sumbolon"*. Le sumbolon, à l'origine, était un objet que deux partenaires séparaient en deux et se partageaient afin de pouvoir se reconnaître ultérieurement, en les faisant coïncider à nouveau. De cette définition première, nous avons gardé l'idée qu'une partie évoque l'autre. C'est bien là le sens actuel. Nous retrouvons les deux mouvements : symétrie = on sépare l'objet; symbiose = on le rassemble. Ainsi, le symbole évoque-t-il à la fois un univers symétrique du nôtre, et notre symbiose avec cet univers.

Le symbole n'est pas cette chose désuète et poussiéreuse que l'on veut bien nous présenter; c'est au contraire une puissance terriblement vivante. "Le monde symbolique nous précède" dit le célèbre psychanalyste Lacan. En effet, nous naissons dans le symbole. Il nous enveloppe, nous forme à notre insu; sa force, qui dépasse notre psyché, est plus puissante que notre imagination. Il est le véhicule de l'essence de la conscience.

Cette réalité du symbole m'est devenue évidente à la suite d'une histoire pour le moins étrange. Je rencontrais mes élèves du cours de magnétisme pour la première fois. L'un d'entre eux me demanda, à mots couverts, si je pouvais lui faire crédit. L'observant un instant, je trouvai en lui quelque chose de juste. J'acceptai donc, sachant par éducation "spirituelle", que chaque don est payé en retour par le truchement de lois qui nous échappent.

À la fin de l'année, cet élève vint me voir et proposa de me faire travailler avec les pierres. J'acceptai, plus pour lui que pour moi car, à cette époque, je me méfiais encore terriblement de ce genre d'approche. La première séance me laissa de bois.

À la seconde séance, il me fit travailler en relaxation, avec une météorite dans la main. Je me laissai conduire... et rien de particulier ne se passa.

Le lendemain, j'éprouvai une tristesse indéfinissable dans mon corps énergétique, une tristesse qui semblait venir d'ailleurs. Je ne la reconnus pas comme mienne. Elle n'avait rien de cette tristesse de la dépression qui incruste le corps et le tenaille. C'était une forme étrange que je n'avais jamais connue.

Il se trouvait que je travaillais à la même époque sur la symbolique de la Kabbale où l'on parlait de la météorite comme l'un des symboles de la Grande Mère universelle, celle dont l'amour nous est transmis par les influences de Vénus.

En un éclair d'intuition, je compris que la météorite m'avait transmis une énergie colorée de sa propre histoire : n'était-elle pas en effet une pierre détachée de sa mère planète qui, à l'instar du nouveau-né, avait été précipitée vers la Terre. Dans sa course vers la terre, n'était-elle pas encore pleine de cette nostalgie de symbiose, d'appartenance à un univers très large où d'autres vibrations l'avaient imprégnée ? N'est-elle pas symbole vivant de cet exil ?

"La matière souffre aussi de la séparation" nous dit Maître Philippe de Lyon, *"lorsque le mineur pénètre dans sa demeure, les coups de pic ou de mine dont il se sert pour la briser sont autant de douleurs pour elle. Elle suit dans son existence à peu près les mêmes phases que les nôtres."*[1]

Je vivais cette météorite que la Kabbale citait comme symbole énergétiquement en moi. Elle me transmettait son essence par un étrange phénomène vibratoire .

La nature vivante du symbole m'apparut alors très clairement : **le symbole est une mémoire sans la dimension du temps**. Il n'est pas un concept, mais une réalité.

Il est important de préciser que cette expérience avec cette pierre était un phénomène dépendant de ma propre subjectivité. Ce fut un outil pour saisir une intuition, les conclusions que j'en ai tirées n'étant pas généralisables. Quelqu'un qui travaille avec la même pierre peut vivre une expérience fondamentalement différente, en harmonie avec sa propre histoire.

Le symbole nous ouvre sur des réalités cachées, que les mots, par leur aspect formel, ne sauraient transmettre.

Seuls la poésie et le langage symbolique des Ecritures, des mythes et des contes permet de restituer ce niveau de réalité. À nous de nous ouvrir à leur sens véritable, en nous laissant imprégner par eux, sans en chercher la logique.

De tous les symboles de lumière, le soleil que j'ai proposé de visualiser dans les premiers exercices, est l'un des plus puissants. On peut l'évoquer en toutes circonstances, même par temps de brouillard !

Certains historiens pensent que les religions anciennes adoraient l'objet "soleil". Ils n'ont pas compris que ces mystiques honoraient, à travers lui, le symbole d'une autre lumière, beaucoup plus inaccessible : celle de la conscience divine, dont le soleil est un avatar et un symbole.

---

1 *"Vie et paroles* de Maître Philippe de Lyon", pp 164-165.

LA PERCEPTION

Vous pouvez sentir le point névralgique sur le corps

Pour cela nous devons apprendre à nous servir de nos mains comme si elles étaient des radars.

Rappelons que nous travaillons au niveau de la première et de la seconde enveloppe énergétique, dans une zone de trois à trente centimètres d'épaisseur, qui inclut le corps électromagnétique et le corps astral ("corps d'émotion", ou corps psychique).

Détection à l'intérieur des auras

La sensation de chaleur thermique est la plus facile à percevoir. Supposons que nous glissions les mains de haut en bas, à une dizaine de centimètres du corps d'un sujet : nous repérons des zones à "émission de chaleur".

Il nous faudra savoir faire la différence entre une zone qui émet de la chaleur parce qu'il y a une inflammation, et une zone qui dégage de l'énergie parce qu'elle correspond à un centre énergétique.

La différence se fait parfois d'elle-même, la sensation de chaleur s'accompagnant de picotements lorsqu'il y a souffrance. Les mains nous donnent l'impression d'être enveloppées d'une chape douloureuse qui peut remonter parfois jusqu'au bras.

Nous pouvons aussi repérer des points névralgiques par une sensation de très fine vibration dans les doigts.

Détection à la surface de l'aura

Cette activité demande une plus grande sensibilité. Les mains à plat, il nous faut d'abord repérer, par la différence de chaleur et de densité de l'aura, les contours de cette enveloppe. Pour ce faire, nous nous éloignons du sujet puis, les mains en éventail, nous nous en rapprochons : par tâtonnements en différents lieux, nous essayons de percevoir les contours de l'aura.

Après quoi, glissons sur cette "coque" chaleureuse et tâchons de repérer d'éventuels trous de froid. Lorsque nous sommes en présence d'une telle sensation, nous interrogeons le sujet sur son histoire. Il nous rapportera la plupart du temps qu'il a eu là une fracture ou une ancienne opération. Ces lieux sont privés d'énergie, ils ne véhiculent plus le courant.

Détection directement sur le corps

Supposons que nous ayons senti une "difficulté" sur un organe précis, la vésicule biliaire, par exemple . Nous posons alors la main à plat sur cet endroit, puis nous descendons notre conscience dans notre main, et nous nous mettons mentalement en contact avec l'organe. Nous pourrons alors percevoir d'infimes sensations, des déformations subjectives de la main, mêlées d'images corporelles dans l'épaisseur de celle-ci, qui nous donneront l'impression que cet organe nous parle. La main est à, ce moment précis, comme un organe de voyance qui ressent dans sa chair l'écho de ce qui se passe sous la paume. Ce déchiffrage est beaucoup plus subtil - l'expérience l'affinera - et nous donne vraiment l'impression qu'une étrange relation s'est tissée entre le corps du sujet et nous-mêmes.

Des sensations plus objectives peuvent l'accompagner (douleur, picotements, engorgement...)

Détecter ainsi les zones du corps en souffrance peut être d'un grand secours pour comprendre les bébés, ou les animaux qui souffrent, car ils ne peuvent parler. C'est ainsi que l'on peut constater avec surprise qu'un bébé pleure non pas parce qu'il a mal au ventre - ce que l'on croit souvent - mais parce qu'il a mal à la tête !

Lors d'un stage de psychologue en service Pédiatrie, j'avais été alertée par les hurlements d'un enfant. Il avait une dizaine d'années. En m'approchant de lui, je passai discrètement mes mains à quelque distance de son corps, de la tête jusqu'aux pieds, tout en lui parlant doucement.

Je sentis alors une chaleur très intense au niveau de son genou, qui était bandé. Je suggérai à l'infirmière-chef - avec prudence, car c'était un véritable dragon - que l'enfant avait peut-être très mal sous son pansement. Elle me répondit que cet enfant hurlait... parce que c'était un débile ! Et l'on m'envoya sur les roses. J'eu beau insister un moment, rien n'y fit. Quelque temps après, passant discrètement devant la chambre, je vis un attroupement d'infirmières. Elles étaient penchées sur le genou de l'enfant et constataient une infection. Débile ou pas, on peut avoir mal !

L'intensité des vibrations que l'on détecte est donc fonction de l'intensité du problème.

Chacun a son propre code sensitif, qu'il saura interpréter, mais en général la chaleur indique une inflammation ou une souffrance actuelle; la vibration, un dysfonctionnement; et le froid une zone où l'énergie ne circule plus.

Dans cette première approche, accessible à chacun, précisons que la "main-radar" doit passer relativement vite pour ne pas émettre et interférer sur la détection.

Au quotidien, nous pouvons exercer nos mains à ressentir les variations de température, les différences de vibration des objets et des corps. Le métro, par exemple, est un lieu privilégié pour faire nos classes !

Ces méthodes sont fondées sur une grande sensibilité de la main de l'opérateur et sa capacité à décoder la sensation. Il n'est pas dans notre propos de former des professionnels : nous voulons simplement offrir à tout un chacun l'opportunité de développer son intuition, ainsi que ses possibilités d'aide dans le milieu familial ou amical.

À ce niveau, les interventions doivent rester modestes. Sachons que nous n'avons aucun pouvoir sur les problèmes graves, où le dysfonctionnement est tellement incrusté dans la matière "chair" que nous ne pouvons pas transformer celle-ci. Il est cependant possible de donner un avis et de le vérifier auprès d'un médecin.

Avec la radiesthésie

Si nous n'exposons pas ici la radiesthésie dans toute sa richesse, nous gardons bien à l'esprit les services qu'elle peut nous rendre.

Elle nous apparaît comme une forme de voyance qui utilise un support : la baguette ou le pendule. Notre inconscient sait tout, mais notre conscient fait un tri. Le pendule - ou la baguette - peut répondre par "oui" ou par "non" à une question bien posée : c'est notre inconscient, par l'intermédiaire d'un mouvement réflexe conditionné, qui saura lui transmettre la réponse qu'il connaît déjà. C'est la raison pour laquelle un radiesthésiste peut très bien opérer à distance.

Certains radiesthésistes utiliseront un témoin : un objet, une photo, un nom qui ne peut se confondre avec un autre... c'est une question de convention mentale entre l'opérateur et lui-même. Le témoin est le support que l'inconscient aura chargé de sens et qui facilitera l'opération.

Un bon radiesthésiste sait :
- rester neutre (il est indifférent à l'enjeu) ;
- ne rien se laisser suggérer ;
- ne rien imaginer ;
- poser la bonne question ;
- être détendu.
Somme toute, il doit être clair, logique, plein de bon sens, et naturellement très sensitif. Il doit être capable, autrement dit, de laisser circuler en lui les énergies inconscientes.

Je me souviens du jour où j'ai tenu un pendule pour la première fois : c'était en présence de Jean-Louis Crozier[1].

Le pauvre pendule pendait lamentablement, inerte, au bout de son fil. Monsieur Crozier mit alors sa main à quelques centimètres de ma nuque... et le pendule se prit d'une giration ample et orgueilleuse !
Cet épisode confirme, à mon sens, le fait que le radiesthésiste doit savoir laisser couler en lui les énergies. Depuis cette première leçon, le pendule ne manque pas de faire sa danse, mais je n'ai pas encore résolu le problème de la "convention", les réponses sont encore très fantaisistes parfois !
Il existe sans nul doute des prédispositions pour cet exercice, un don, mais nous reconnaissons, avec Maurice Le Gall[1], que : "... cet art passionnant de la radiesthésie est à la portée de tout être humain doué d'un minimum d'adresse et capable d'un travail où la méthode ne fait pas place à la superstition."
Il est difficile de soupçonner ce polytechnicien d'une quelconque superstition. Son manuel intitulé *"Toute la radiesthésie en neuf leçons"* est d'une clarté et d'une logique incomparables. Il s'inscrit en faux contre cette idée que la radiesthésie ne peut être utilisée dans le domaine de la médecine et rappelle avec humour qu'il n'y a aucune raison de ne pas découvrir une caverne dans un poumon quand on la trouve dans un sous-sol, ou de passer à côté d'une fissure dans un anus quand on la

---

1 Auteur du livre *"L'homme du dernier espoir"*, Ed. Tchou et *"ABC de la radiesthésie"*, Ed. J. Grancher, J.-L. Crozier est très réputé pour ses dons dans la recherche des disparus.

repère dans un terrain ! Il fut même amené à rechercher la montre du médecin qui lui déniait *"... la possibilité de découvrir un orteil manquant sur une planche anatomique."*

Avec une photo du sujet, des planches anatomiques et une connaissance exacte de ce qu'il mesure, le radiesthésiste doué pourra se poser les questions qu'il désire, et y répondre.

Les cas de réelle collaboration entre radiesthésistes et médecins sont de plus en plus nombreux.

Avec d'autres méthodes

Il existe quantité d'autres méthodes de diagnostic, dont nous ne pouvons faire ici l'inventaire. Les unes utilisent l'intuition ou la voyance; les autres l'analogie, une partie du corps reflétant l'ensemble de ce même corps : le pied, l'oreille, l'iris, le pouls chinois.

Nous ne pouvons manquer de citer également, dans le domaine scientifique, Harrold Burr et son étalonnage à partir de l'appareil qu'il a créé, la cristallographie, l'effet Kirlian...

Force est de reconnaître que les méthodes "non scientifiques" réclament sensibilité, intuition et expérience, la conscience de l'opérateur intervenant pour beaucoup dans l'opération.

LA PUISSANCE DE LA PENSÉE

Vous pouvez transmettre par la pensée

Nous le faisons quotidiennement, à notre insu : nous émettons, nous recevons. Mais la plupart du temps nos pensées sont comme des abeilles qui ont perdu leur ruche : elles sont égarées, elles piquent çà et là, à moins qu'elles ne butinent des fleurs empoisonnées.

La pensée est très importante. Les Evangiles ne recommandent-ils pas : "Tu ne pêcheras pas par pensée, par parole et par action." La pensée nourrit ce que les occultistes nomment l'Akasha, cette banque des pensées et des émotions des hommes. Il faut veiller à ce que les pensées que nous émettons ne nous retombent pas dessus...

À l'aide donc de quelques exercices, examinons notre pensée avant de trouver les moyens de la transmettre.

---

1 *"Toute la radiesthésie en neuf leçons"*, Maurice Le Gall, Ed. Dervy Livres.

Exercice n°1

Allongez-vous confortablement, à l'abri de tout ce qui pourrait vous gêner (bruit, froid, interruption);

respirez avec profondeur et conscience, jusqu'à ce que votre cœur ait ralenti ses battements;

mettez-vous en état de relaxation, en détendant progressivement tous les muscles de votre corps, de la tête jusqu'aux pieds;

quand vous êtes parfaitement calme, formulez intérieurement ces trois questions :

- comment sont mes pensées maintenant ?

- comment sont mes émotions en cet instant précis ?

- comment sont mes sensations physiques en ce même instant ?

Et prenez note, sans jugement négatif sur vous-même.

Exercice n°2

Tâchez maintenant, de vous imaginer dans une relation avec une personne importante pour vous.

Reprenez la première partie de la relaxation précédente;

lorsque vous êtes détendu, visualisez un écran juste derrière votre front ;

faites "figurer" sur cet écran la personne de votre choix. afin que son image apparaisse plus facilement, mentalement, appelez-la trois fois par son nom; son image deviendra plus précise.

analysez ensuite l'image que vous voyez :

- voyez-vous la personne en entier ou seulement son visage ?

- dans quelle attitude vous apparaît-elle ?

- quel décor voyez-vous autour d'elle ?

- vous regarde-t-elle ?

- comment est son regard sur vous : tendre, dur ?

- quel écho cela produit-il dans votre corps : tension, émotion, amour, élan, tristesse...

Prenez note de toutes vos réponses.

Exercice n°3

Procédez comme dans l'ex. n°2, mais essayez cette fois-ci de vous visualiser sur cet écran, en face de la personne concernée.

Posez-vous les questions suivantes : quel jeu y a-t-il entre nous ? Que me veut-il (elle) ? Qu'est-ce que je lui demande ?

Restez concentré sur cette méditation le temps nécessaire, pour comprendre les enjeux inconscients de votre relation (ce que nous appellerons le "jeu des projections réciproques").

Nous conseillons de pratiquer l'exercice n°1 quotidiennement, pendant une semaine.

Quand il vous semblera acquis, vous procéderez de la même manière avec l'exercice n°2, puis avec l'exercice n°3.

A l'issue de ces exercices, nous comprenons mieux qu'aucune relation n'est exempte de projections inconscientes. Il est donc important de le savoir avant de vouloir transmettre une pensée, même si nous la croyons positive. Nous ne sommes jamais neutres.

LA PROTECTION

Méfiez-vous des "pollutions"

Un jour, on a demandé à l'un de mes amis chaman s'il fallait se protéger quand on fait un travail de guérison. La réponse est incluse dans la question : le seul fait de la poser trahit chez celui qui en est l'auteur une certaine idée de la pollution. Cet ami a répondu que la meilleure façon de se protéger... était de ne pas se protéger !

Que signifie cette réponse?

Il existe une loi psychologique qui veut que nous n'attirions que ce qui est déjà en nous. Les faiblesses que nous pouvons avoir dans certains domaines créent une faille qui aspire tout ce qui peut aller dans le sens de cette faiblesse.

J'avais un ami qui avait une peur terrible des policiers. À chaque fois qu'il retournait dans son pays, il était sûr de se trouver dans une situation qui le conduirait inévitablement au commissariat : ou bien il se faisait voler, ou bien il perdait ses papiers, etc...

En résumé, toute peur attire son objet.

Il en est de même en guérison : notre talon d'Achille se trouve là où nous n'avons pas résolu nos problèmes.

La meilleure façon de se protéger consiste donc à travailler sur soi pour se connaître. Il s'agit de savoir ainsi quel type de problèmes nous avons l'habitude de nous attirer.

En revanche, si nous fermons certaines zones de notre être, nous bloquons de l'énergie.

Tout travail de guérison, du médecin au thérapeute - en passant par le chaman - sollicite, de façon claire ou non, les différents plans de l'être humain : physique, psychique et spirituel (pour autant que l'on considère ce dernier comme un "plan à part").

Le plan psychique est très complexe. Les occultistes l'appellent le *"monde astral"*. Cet univers a ses lois propres (nous en reparlerons plus tard) et il est rare que nous puissions nous élever au-dessus de ses zones d'influence : nous sommes toujours bernés par nos propres créations. Nos forces psychiques fonctionnent souvent en roue libre, nous donnant l'illusion d'être le maître de nos œuvres... alors que notre subconscient, avec toute sa pollution, œuvre à notre place et à notre insu !

Voilà pourquoi le travail de guérison demande une solide formation s'il doit devenir notre principale occupation : ce n'est pas pour rien que les psychanalystes doivent passer par de longues années de psychanalyse, ou que les chamans subissent une initiation très éprouvante. Cela les met à l'abri, les uns et les autres, de l'effet "pieuvre" de l'univers psychique.

Si nous ne sommes pas à l'abri, c'est-à-dire si nous ne pouvons pas identifier ou donner un nom à ce que nous voyons, nous sommes happés par les tentacules de la pieuvre - la mythologie ne cesse de nous le dire - nous sommes dévorés par elle.

Cette pieuvre est le symbole de nos désirs inconscients et refoulés.

La protection psychique

La meilleure défense reste la protection psychique.
La meilleure protection psychique est la Conscience.

Une des grandes lois psychologiques s'énonce très simplement : nous n'attirons que ce qui est déjà en creux à l'intérieur de nous. En d'autres termes, nous "aspirons" ce que nous méritons. Si notre royaume, comme celui de la *Belle au Bois Dormant*, est encore entouré de ronces, symbole des désirs inconscients refoulés, notre Prince mettra un certain temps à venir nous libérer. Nous resterons entourés de ronces aussi longtemps que nous n'aurons pas éveillé en nous la clarté de l'âme, tant que nous n'aurons pas accepté la limpidité de nos désirs. Il nous faut donc accomplir un travail intérieur, dans notre intérêt, qui nous protégera des "énergies négatives" que nous attribuons très souvent aux autres.

Extrêmement sensible et médium, le guérisseur perçoit dix fois plus que les autres individus. Tout devient une agression pour son hypersensibilité : il reçoit dans son corps, dans son environnement, des magmas d'énergies non résolues, en suspens, comme des manteaux de mémoire, qui blessent sa chair.

Mettre ces "mauvaises énergies" sur le compte des autres est une attitude fréquente. On préserve ainsi une bonne image de soi. L'attitude de conscience conduit au contraire à se demander ce qui, en soi, attire cette négativité. Car la négativité existe : elle est charriée par l'envie, la jalousie, la haine, la vengeance, les sentiments d'infériorité, la sexualité refoulée, les peurs...

Une autre particularité des personnes attirées par l'art de la guérison concerne leur motivation. Non pas qu'il faille remettre en question cette force de compassion, mais on trouve souvent à la base de celle-ci un désir inconscient de réparation, associé naturellement à une importante culpabilité. Ces personnes chargent leurs épaules de fardeaux qui finissent par avoir raison de leur énergie. Il s'agit là d'une particularité plus féminine que masculine, l'homme étant, par instinct, plus égoïste. Nous la rencontrons aussi chez les aînées ou chez les femmes qui ont de bonnes raisons d'en vouloir à leur mère mais dont l'agressivité est restée inconsciente. Analyser sa motivation permet de ne pas se laisser écraser par le poids de la douleur d'autrui.

L'identification à l'autre dans sa souffrance risque de perturber l'équilibre énergétique. Elle procède des mêmes sources que la culpabilité. Elle est justifiée par un certain type d'éducation, dans laquelle la morale est importante.

Mais il existe une identification inconsciente, qui se fait à l'insu de la personne. C'est un peu comme une transfusion d'inconscient corporel à inconscient corporel, une transparence des corps énergétiques. Cette identification est un puissant moyen de diagnostic. C'est en cela qu'elle est utile. Mais elle est encombrante, puisque l'on sent dans son corps la douleur de l'autre !

Je prodiguerai pour ce problème les mêmes conseils que précédemment et recommanderai, en outre, la pratique régulière d'un "yoga".

En résumé, la meilleure protection reste la sauvegarde d'un corps et d'un psychisme sains et équilibrés. Tout travail sur la conscience permet de ne pas trop s'impliquer, de façon à garder intactes des ressources énergétiques que le guérisseur saura prodiguer avec intelligence.

Le bouclier psychique

Nous apprenons à bâtir ce bouclier par visualisation, et nous le conservons juste le temps de la pratique. Il suffit après quoi de l'effacer.

C'est une recommandation que j'aurais dû faire à une amie qui s'est imaginée, un matin, dans une carapace hérissée de piquants. Le même jour elle est allée consulter une voyante ! Il semble que cette pauvre cartomancienne ait été peu efficace : quand elle a regardé sa boule de cristal à la fin de la séance, elle s'est étonnée d'y voir un hérisson. Mon amie s'est alors rappelée qu'elle avait oublié d'effacer l'objet de sa visualisation.

Cette petite histoire nous rappelle l'efficacité des visualisations, qui se situent à mi-chemin entre le projet et son incarnation.

Chacun peut inventer son bouclier en fonction de ce qu'il croit être juste pour lui.

Nous pouvons imaginer, par exemple, que nous rassemblons tout notre corps énergétique en un noyau compact, que nous le plaçons comme un bouclier devant les centres de la gorge et du cœur. Nous libérons ainsi un espace libre à l'intérieur de nos enveloppes pour que l'aura de notre patient puisse l'habiter.

Cette technique a deux avantages : elle permet de rester sensible en utilisant notre corps comme support de voyance; en même temps, elle nous protège suffisamment pour que ce que nous sentons ne s'incruste pas dans notre chair.

Il est également possible de visualiser une spirale d'énergie qui sort de notre gorge et qui tourne dans le sens des aiguilles d'une montre. Elle forme un petit bouclier dynamique que nous réabsorbons lorsque nous avons fini de travailler.

Le nettoyage

Le nettoyage est une observance essentielle dans tout travail d'accompagnement thérapeutique, surtout en matière de magnétisme.

Même protégé, le magnétiseur reçoit, comme cela se passe en électricité statique, une "poussière" qu'il doit éliminer immédiatement après la pratique. Il existe pour cela plusieurs techniques traditionnelles. Rappelons-les brièvement.

A. D'une main, on balayera tout le corps, du centre vers ses extrémités, et l'on projettera ce résidu loin de soi, d'un coup. Cette pratique s'utilise systématiquement à la fin de chaque séance. Je me souviens du jour où un ami me l'enseigna : je le vis lisser son corps, ses bras, et projeter loin de lui cette "poussière"... mais une plante voisine la reçut et ses feuilles se mirent à s'agiter frénétiquement !

B. On peut aussi se nettoyer la bouche par un gargarisme et cracher : c'est une pratique chamanique.

C. Boire beaucoup d'eau et uriner juste après la pratique. Cela est d'ailleurs instinctif.

D. Dans les cas de prise en charge lourde, nous conseillons de passer tout le corps sous la douche, cheveux compris. N'est-ce pas ainsi que Jean-Baptiste baptisait ?

Un ami voyant utilisait le sable, dans lequel il trempait ses mains après sa consultation.

Libre à chacun d'ajouter des pratiques personnelles.

La réénergétisation

Elle consiste avant tout en une vie saine - ce qui ne veut pas dire ennuyeuse - avec possibilité, si l'on habite en ville, de se "recharger" à la campagne. La terre, les plantes, les arbres, l'air sain, sont en effet les meilleurs protecteurs de notre équilibre physique.

La nourriture a aussi son importance. Bon nombre d'ouvrages traitent de ce problème, et il serait très enrichissant de s'y rapporter.

Le sport, la marche, permettent de faire circuler l'énergie et de réactiver les centres énergétiques.

Il faut aussi accorder toute notre attention à la qualité du lieu où l'on habite et vérifier que les énergies telluriques sont les meilleures possibles. S'il est vrai que nous le sentons intuitivement, les radiesthésistes peuvent néanmoins nous aider.

On s'intéressera également de très près à l'histoire du lieu dans lequel on vit. Comme tous les autres, ce lieu a une mémoire : il a absorbé l'énergie éthérique des êtres qui l'ont habité. La mémoire est parfois personnalisée, ce qui explique que beaucoup de personnes ont eu affaire à des manifestations étranges.

Jacques La Maya cite l'exemple de cet ornithologue qui, pour son "art", laissait les bêtes mourir à petit feu dans d'atroces souffrances . Lorsqu'il déménagea, son pavillon fut à louer, mais aucun des locataires suivants ne put tenir plus de six mois. Tous devenaient très fatigués et dégoûtés. On dénombre des milliers de cas semblables.

L'attitude psychologique la plus saine consiste à rester confiant. Car c'est quand nous avons des problèmes à l'intérieur de nous que nous les rencontrons à l'extérieur.

Ainsi, notre pensée positive et notre propre rayonnement sont nos meilleures protections.

Les ondes de formes relèvent d'un domaine particulier qui se situe aux frontières du physique et du symbolique. L'architecture des temples et des églises en offre une brillante illustration. Sur ce sujet, le lecteur pourra consulter de nombreux travaux, notamment sur l'architecture sacrée.

A notre niveau[1] nous pouvons consulter des ouvrages plus accessibles qui nous permettent d'éviter quelques erreurs.

Il est intéressant de constater combien le physique se mêle ici au psychique. Notre conscience, si nous la développons, peut avoir raison de la plupart de ces nuisances, car notre rayonnement baigne notre environnement proche. Nous pouvons donc devenir "bénéfiques", sans magie aucune, sans incantation et sans faire appel à un désenvoûteur.

Par simple prise de conscience des courants psychiques qui baignent un lieu et grâce à notre participation plus ou moins consciente au phénomène, nous pouvons aussi réduire, sinon supprimer cette nuisance.

Du temps où j'exerçais dans ce service de Pédiatrie, en tant que stagiaire psychologue, j'éprouvais une immense fatigue à peine une heure après mon arrivée.

Je commençais à m'en inquiéter. Je pensais que la mémoire de ces murs était lourde de la souffrance de beaucoup d'enfants; je voyais là la raison pour laquelle cette atmosphère m'épuisait. Mais à partir du moment où je compris combien l'enfant intérieur en moi (celui qui avait souffert) s'identifiait aux enfants malades de ce service hospitalier, je ne fus plus du tout fatiguée.

Il ne faudrait pas oublier pour autant quelques règles fondamentales en ce domaine - règles que malheureusement notre éducation ne nous transmet pas - qui concernent la géobiologie et l'architecture.

Le champ d'investigation est très vaste et les premiers travaux promettent, mesures à l'appui, de jeter les bases d'une véritable science.

---

1 "La médecine de l'habitat", Jacques La Maya, Ed. Dangles et *"ABC de la géobiologie"*, Danielle Semelle, Ed. Grancher.

Exercice de réénergétisation

- Une fois debout, visualisez au-dessus du crâne une sphère de lumière blanche, intense;
- à l'inspiration, imaginez que vous descendez l'énergie au niveau du centre du cœur; visualisez à cet endroit une sphère de lumière jaune-doré ;
- à l'expiration suivante, descendez l'énergie jusqu'aux pieds et visualisez à cet endroit une sphère de lumière blanche, légèrement moins intense que la première;
- lors de l'inspiration suivante, visualisez une aura de flammes rose-doré : elles montent à partir des pieds, entourent tout le corps, puis se résorbent au niveau du centre de la gorge.

Reprenez ce même processus jusqu'à huit fois si nécessaire :
- expiration : renforcez la sphère blanche du dessus de la tête;
- inspiration : réénergétisez le cœur, etc.

Cet exercice est extraordinaire pour se recharger en énergie. Vous en ressentirez très vite les effets.

DEUXIÈME PARTIE

MAGNÉTISME
ET
INCONSCIENT

Nous avons acquis la connaissance, puis la perception physique du magnétisme.
Il nous faut à présent aller plus avant.
Pour ce faire, nous allons établir le lien qui existe entre les opérations les plus concrètes de mise en œuvre du magnétisme et les mécanismes de notre inconscient.

CHAPITRE IV

PREMIERE ÉTAPE DE VOTRE PROGRESSION : MAGNÉTISEZ UN FRUIT

"Il est des parfums frais comme des chairs d'enfants,
Doux comme les hautbois, verts comme les prairies,
Et d'autres corrompus, riches et triomphants."

Charles Baudelaire
(Correspondances)

Le travail que nous exposons ici est le fruit de plusieurs années d'expérience et de toutes les observations que nous avons pu faire durant nos "cours". Un cours se compose d'une partie pratique et d'une synthèse des travaux effectués à la maison par chacun. Nous insisterons beaucoup sur ce dernier aspect.

Nous proposons à nos étudiants des expériences sur la matière. Celles-ci sont connues de tous les magnétiseurs. Cependant nous n'avons jamais eu connaissance d'un quelconque ouvrage faisant mention des facteurs subjectifs qui interviennent sur les résultats, qui les modifient quelque peu, qui leur apportent l'originalité, la fantaisie et la poésie que seule la rencontre de notre inconscient avec la nature peut nous offrir.

À plusieurs reprises nous avons rappelé au lecteur que notre propos était de l'aider à développer ses qualités de magnétiseur, mais aussi de le conduire progressivement à reconnaître la partie obscure de son âme qui, projetée à son insu sur la matière de l'expérience, lui sera renvoyée en miroir par celle-ci.

On peut faire dire ce que l'on veut aux mots : un discours habile, une idéologie bien enrobée peuvent tromper. On peut détacher les mots de l'âme. Le langage est alors mensonge. Mais la nature ne peut pas mentir, pour la simple et bonne raison qu'elle n'a pas d'idéologie.

Elle a parfois de l'humour... et certainement de l'amour.

Je me souviens d'une plante verte - un caoutchouc - qui me tenait compagnie depuis bientôt cinq ans et qui poussait régulièrement dans ma pièce de travail. Depuis toutes ces années, elle n'avait toujours qu'une seule pousse. Mère d'un petit garçon, j'étais sur le point d'accoucher de mon deuxième enfant. Lorsque je revins de clinique avec mon bébé, je m'aperçus que ma plante, elle aussi, avait fait son bébé : une petite pousse était apparue près de la tige principale !

Magnétiser un fruit

De toutes les expériences, celle-ci est la plus facile et la plus agréable. Pour magnétiser, reportez-vous au chapitre III, exercices 2 et 3, pages 48 et 49.

Exercice

Choisissez deux fruits d'une même espèce et de même maturité : l'un sera le sujet de l'expérience, l'autre servira de témoin.

Magnétisez quotidiennement le fruit choisi comme sujet, en le tenant dans vos mains, ou en plaçant celles-ci à quelques centimètres au-dessus. Chacun choisira le temps qui lui convient, mais sachez qu'au départ il est bon de commencer par dix minutes chaque jour.

Les résultats classiques, généralement observés, sont les suivants :

1. Si le fruit n'est pas mûr avant d'être magnétisé, la momification[1] ne se fait pas. Il passera d'abord par la maturation;

2. la texture de la peau change : elle commence par briller, elle plisse et suinte; les essences sont attirées vers l'extérieur (le citron et la pomme embaument délicieusement);

3. le fruit sèche, rétrécit, s'allège et sonne creux; il devient complètement sec, dur et a rétréci de beaucoup; il est comme confit, et peut se conserver indéfiniment : il est momifié !

---

1 Un fruit momifié est un fruit qui a perdu toute l'eau qu'il contenait, soit par un processus naturel, soit par un processus artificiel.

Exemples

Ce qui précède est le résultat théorique. Ce n'est pas toujours celui que nous obtenons.

Toute rencontre crée un phénomène. C'est vrai aussi de la "rencontre" entre un fruit et un individu. Le fruit en général a bonne réputation : il satisfait la vue, l'odorat, le goût, le toucher ; il évoque l'arbre qui l'a porté, la nature, les saisons, tout ce qui est paix, harmonie, plaisir et abondance; il porte en lui les essences, la lumière. Dans notre inconscient, il est lié à la corne d'abondance, au don de Dieu, à la fécondité.

C'est pourquoi nous proposons à nos élèves, dans leur magnétisation, de se mettre en contact avec l'essence du fruit plutôt que d'exercer un pouvoir sur lui. Le fruit témoin, pour sa part, doit être totalement ignoré tout en restant dans les mêmes conditions hygrométriques et thermométriques.

Les fruits les plus couramment choisis sont le citron, l'orange, la mandarine, la pomme, le coing (ceci en raison de la saison à laquelle débute notre cours).

La momification du fruit "sujet" est beaucoup plus rapide que celle du témoin, qui pourrit. De nombreuses personnes rapportent que la compagnie du fruit les a plongées dans une méditation très profonde. On a remarqué que certains fruits - la pomme et le citron par exemple - procurent une grande sérénité. Des images surviennent. Le fruit peut apparaître dans son passé : Jeanne voit un citronnier entouré d'oliviers, sur fond de mer. Ces représentations d'arbres et de paysages sont fréquentes. Les visualisations de tout ordre sont facilitées, des émotions resurgissent.

Voici quelques témoignages :

• Marie a opté pour un coing avec lequel elle entretient une relation très ambivalente : elle se demande toujours si elle réussit son expérience. Un jour, elle laisse échapper qu'elle *"se sent toujours seule dans son coin"*, ce qui, à son grand étonnement, suscite l'hilarité générale.

La pomme procure une méditation sereine. Le citron éveille le sens de l'odorat. Il permet de percevoir de plus en plus subtilement les essences, il affine les sens et se momifie sans problème. Son parfum, tout comme celui de la pomme, devient un véritable arôme.

Ce travail avec les fruits active l'état méditatif. Il éveille davantage les images qu'une méditation classique. Il suscite les rêves prémonitoires. Parfois, il est lié à d'étranges phénomènes.

• Pauline raconte : *"Samedi, j'ai rêvé que ma mère achetait un petit tableau d'un peintre relativement connu, qu'elle payait d'une somme de "X" francs. Dimanche, en visite chez elle, que vois-je ? : ce même tableau, dont le prix correspondait à mon rêve."*

Pauline a chez elle un pommier d'amour qui lui a toujours donné des pommes vertes. Un jour, elle magnétise sa pomme non loin de l'arbre... et s'aperçoit, avec stupeur, que les pommes de celui-ci sont devenues oranges !

Si, nous pouvons parfois dénouer l'écheveau des fils de l'inconscient, nous sommes aussi confrontés à certains mystères : les Dévas, ou les Fées, en gardent les secrets.

La "rencontre" avec le fruit, son choix et le lien qui se tisse entre lui et nous peut être chargé d'affects qui ne sont pas sans influence sur le processus de momification.

• Paul est un garçon très sensible. Il avait gardé sa pomme - une golden - intacte pendant des mois. Je m'étonnais même de la voir rajeunir.

Mais un jour, Dieu sait pourquoi, il l'oublia chez moi ! Connaissant la subtilité des liens qui l'unissaient à elle, je la saisis délicatement du bout des doigts pour la déposer à l'abri des coups et des influences extérieures, essayant dans ce geste de ne pas interférer sur le processus en cours. Quelle ne fut pas ma stupeur et ma consternation quand je vis la pomme le lendemain matin : du jaune lisse et ferme, elle était passée au marron ! Paul fut aussi désolé que moi. Son fruit semblait ne pas avoir supporté l'abandon...

• Sophie établit d'emblée une analogie entre son corps malade et son fruit. Ce dernier présentait un début de pourrissement à l'intérieur; Sophie, elle, souffrait du foie.

Je lui proposai alors de magnétiser son fruit pour essayer d'arrêter le processus. Elle dut surmonter ses doutes et accepter d'avoir entière confiance . Peu à peu, elle stoppa le pourrissement, et parallèlement l'état de son foie s'améliora.

• Lyviane hésita un temps devant ses deux pommes en se demandant laquelle des deux pourrait servir de sujet. Elle opta finalement pour celle qui avait reçu un coup, car elle avait le projet de la guérir. Mais, prenant finalement conscience de sa complaisance pour le malheur, elle conçut alors une étrange aversion pour cette pomme qui avait symbolisé sa faiblesse. Le pauvre fruit ne tarda pas à le manifester : il commença à se liquéfier et présenta bientôt l'aspect d'une poche pleine d'eau, tandis que la pomme témoin restait intacte.

Stupéfaite par les résultats, Lyviane essaya d'intervenir en mettant les "bouchées doubles", mais la dégradation s'accélérait : la pomme "pompait" deux fois plus d'énergie. Lyviane se rendit compte alors qu'en s'identifiant au négatif elle l'absorbait, et qu'elle n'avait donc plus d'énergie disponible. Ce mécanisme était celui dont elle usait avec son entourage.

Parallèlement, elle magnétisait une clémentine : le sujet se momifiait sans problèmes, il était plus dur et plus brun que le témoin, car il n'avait pas été investi d'autant de projections que la pomme talée.

Précisons que le blet évolue habituellement en pourrissant et en moisissant, et que nous avions ici une pomme à la peau légèrement marron, gonflée d'eau et perdant beaucoup de liquide.

• Christine traversait une période de changements qui se manifestait par une série de somatisations. Tout se passait comme si, en voulant se "rassembler", elle devait se blesser dans les différentes parties de son corps.

Quand la culpabilité est trop grande, la relation avec notre corps se traduit par un rapport de lutte et d'agression. Certaines parties de notre corps, qu'au lieu d'investir de notre amour nous voudrions voir abîmées, sont les témoins de notre propre indignité. Inconsciemment, nous pensons ne pas mériter l'amour et le pardon. Nous utilisons alors un processus - s'apparentant à la putréfaction - qui nous justifie dans notre souffrance.

C'est un mécanisme difficile à dépasser, car il s'inscrit comme un conditionnement. Ces plaies psychologiques, seuls l'amour et le pardon d'une mère peuvent les panser. Quand cet amour n'a pas réellement existé, elles deviennent des plaies physiques entretenues par la culpabilité.

Christine, précisément, traversait ce conflit. Par ses maux, elle pouvait justifier ce qu'elle pensait d'elle-même : *"Regardez, je suis bien une méchante fille, pleine de honte; mon corps est à l'image de mon âme, plein de noires putréfactions."* Il semblait que sa pomme évoluait en parfaite correspondance avec elle : elle était striée d'éraflures qui se putréfiaient, ce qui permettait à la jeune femme de se justifier dans sa plainte : *"Je suis incapable de réussir."*

Je lui proposai alors d'arrêter le processus par son magnétisme. Elle y réussit et guérit ainsi toutes les plaies de sa pomme, qui se déssécha sans pourrir; et je suis sûre qu'elle la possède encore. Par ailleurs, elle reprit confiance en elle et ne se crut plus obligée de n'exister qu'à travers la souffrance.

• Murielle ne recula pas devant la difficulté : elle choisit deux tomates. Le témoin pourrit en quinze jours, tandis que le sujet se momifia en donnant une peau plissée et plus foncée.

Mais elle rapporta surtout que ce travail, qu'elle faisait deux fois par jour à raison d'un quart d'heure par séance, ne lui demandait aucun effort. Au contraire, cela la mettait dans des états de relaxation qu'elle atteignait beaucoup plus difficilement d'habitude.

• Claire choisit, elle aussi, deux pommes. Son expérience est profondément "alchimique" et mérite que l'on s'y arrête plus longuement..

Quand elle présenta son expérience de deux semaines au groupe, nous constatâmes que sa pomme sujet était pleine de petites taches. Le phénomène ne me surprit pas, mais le discours de Claire resta comme suspendu à une interrogation qui me mit la puce à l'oreille. Ce jour-là, je ne poussai pas mon enquête plus loin.

Plus tard, elle nous dit : *"La première fois que j'ai vu apparaître ces taches, je me suis interrogée sur ce qu'elles me renvoyaient; je me demandais si j'étais dans des dispositions assez positives pour mon expérience."*

Durant ce même cours, une autre élève "travaillait" sur les figues. En voyant cela, Claire se souvint de sa grand-mère décédée qu'elle sentait encore très présente. Le soir même, elle décida de prier pour elle, en ces termes : *"Ecoute, il faut que tu partes; je ne sais pas ce que je dois faire, mais je sais que je le ferai pour toi."*

Le cours suivant, je demandai à Claire ce qu'évoquait pour elle le mot *"tache"*; elle pensait *"culpabilité"*. *"Quelle culpabilité ?"* lui demandai-je. "La culpabilité de mal aimer", me répondit-elle.

J'eus l'intuition que cette tache avait un rapport avec un ancêtre (en effet, j'avais observé que la culpabilité, quand elle est liée à sa propre enfance, se traduisait par un pourrissement à l'intérieur du fruit et non à l'extérieur). Je fis part à Claire de cette hypothèse. Soudain, elle se mit à comprendre toute une série d'enchaînements dont elle n'avait pas saisi jusqu'alors la suite logique

Son inconscient l'avait bien enregistré : la tache qui lui posait problème n'était pas la sienne. Elle portait sur elle-même le poids de la culpabilité de son arrière grand-mère, laquelle avait été fille-mère et avait transmis aux générations de filles la culpabilité de ne pas savoir aimer ses enfants - de "mauvais amour", précisa Claire.

Elle comprit alors pourquoi, intuitivement, elle se sentait l'obligation de nettoyer quelque chose pour sa grand-mère, afin de l'aider à se détacher de la terre et à poursuivre son évolution dans les mondes où elle se trouvait.

De nombreuses personnes travaillent actuellement sur ce type de guérison spirituelle, où les morts hantent encore parfois les vivants parce qu'ils n'ont pas su résoudre un problème lors de leur vie sur terre.

Pourquoi la pomme de Claire a-t-elle fait des taches ? Qui saura jamais quels canaux utilise notre inconscient ...

La notion de "taches" que nous transmettent nos ancêtres - comme des vêtements qui ne seraient pas taillés pour nous - procède d'une croyance que beaucoup de peuples respectent encore et qu'ils "gèrent" tant bien que mal grâce à un culte; cela permet de tenir l'ancêtre à distance, ou tout au moins de le satisfaire suffisamment pour qu'il envoie sa bénédiction plutôt qu'une série de malédictions.

Nous, aussi, avons un culte pour nos morts. Nous déposons des fleurs sur leurs tombes, nous les honorons à la Toussaint.

En thérapie, j'ai souvent l'impression d'être confrontée à des problèmes dont il faut chercher l'origine non pas dans le passé propre du patient, mais dans son inconscient génétique. Si l'on parvient à conscientiser ces événements, alors on aura réalisé une bonne partie du "travail de nettoyage". Citons à ce propos l'excellent travail que présente le psychanalyste Didier Dumas, dans son livre intitulé *"L'ange et le fantôme"* (Ed. de Minuit, 1985). Certains thérapeutes font appel aux forces spirituelles, tel le Dr Kenneth McAll qui propose à ses patients la communion Eucharistique[1].

Toutes les techniques qui recourent à la transe peuvent être très utiles également, mais il faut, à mon sens, que les forces psychiques libérées soient habilement gérées par le thérapeute ou qu'elles soient sublimées dans un rituel.

Il arrive que la momification se fasse naturellement, sans qu'il y ait investissement particulier de l'objet.

La qualité et la richesse de l'expérience dépendent de la sensibilité de l'expérimentateur. Le groupe est plus dynamique s'il est composé de personnalités riches, curieuses et profondes. Son énergie s'en trouve accrue, et les expériences sont plus intéressantes.

Autrement dit la qualité de conscience du groupe a une action sur nos expériences. En revanche, le cartésien, celui qui doute éternellement, le banalisateur freine la dynamique.

Le doute est le fruit d'une éducation qui a exclu les sceptiques de leur centre profond et qui les a sculptés selon un modèle donné. Leurs expériences, souvent pauvres au début, leur offrent parfois des surprises qui finissent par les convaincre qu'il existe une relation énergétique entre eux et leur environnement. Ils s'en trouvent alors plus vivants, car ils découvrent que le monde n'est pas indifférent à leur présence. La "normalité" et la "neutralité" dans lesquelles ils ont été éduqués, et qui leur paraissaient jusqu'à présent le seul modèle valable et déculpabilisant, sont remises en question. Les témoignages du groupe viennent alors les conforter dans cette nouvelle naissance.

Chaque règne a son enseignement. Le fruit nous fait communiquer avec l'essence, au sens propre - le parfum - comme au sens figuré. A peine cueilli, le fruit semble encore chargé du monde végétal dont il est issu; peu à peu, il va perdre cette essence pour se charger de l'aura de la personne qui le magnétise.

---

1 Dr Kenneth McAll, *"Médecine psychique et guérisons spirituelles"*, Collection Foi et Guérison, Ed. Dervy Livres.

Cette expérience affine la perception et la sensibilité. Elle nous met en relation avec le monde végétal, avec "l'esprit" du fruit : les différences de nature entre les fruits sont parfaitement appréciables; chaque fruit, chaque légume, donne sa propre note. Il serait intéressant à ce propos d'approfondir ce type d'expérience avec une grande diversité de fruits. Nous découvririons alors ce qu'un chaman comme Mario Mercier[1] a si bien perçu : l'immense Amour contenu dans la nature végétale, et nous verrions combien elle peut nous aider si nous savons l'aimer, l'écouter et la respecter.

Que se passe-t-il lors de la magnétisation ?

Toute la partie "ombre" de notre inconscient agit aussi sur la matière, à notre insu. Il est impossible d'en sérier les modalités. Dans notre recherche, nous ne faisons que constater un effet, un effet dont nous cernons parfois quelques analogies avec ce que nous connaissons. La matière peut être le miroir de nos énergies profondes.

Quand les manuels de magnétisme nous proposent de faire pousser une plante en la magnétisant, je souscris à la théorie; néanmoins, je ne peux m'empêcher de sourire en pensant aux expériences que j'ai pu réaliser avec mes élèves.

La plupart du temps nous magnétisons avec notre enveloppe émotionnelle, qui est très liée aux affects inconscients.

La notion d'inconscient personnel, que Freud a su dégager du bourbier de la bonne société viennoise, a mis du temps à être admise. Et pour cause : l'inconscient est particulièrement dérangeant !

On commençait à peine à s'y habituer qu'une nouvelle mode nous arrive comme un raz-de-marée des Etats-Unis et nous vend de la lumière sous cellophane ! Je veux parler du *"New Age"*. Ou plutôt de ce que nous connaissons sous le label de "New Age" : un positivisme et une lumière à tout crin qui ignorent la balance de l'ombre et de la lumière, qui négligent les mécanismes occultes du psychisme et qui trompent le pèlerin de l'âme en lui faisant faire l'économie de ce que les alchimistes appellent la phase "nigredo" que d'autres nomment la "descente aux enfers".

Toute la mythologie, toutes les traditions nous

---

1 Mario Mercier, visionnaire et chaman, peintre et poète français, est l'auteur de nombreux ouvrages tels que : *"Chamanisme et chamans"* Ed. Dangles, *"Soleil d'Arbre"*, Ed. Albin Michel.

l'enseignent˵ : de Hercule à Jésus, en passant par Orphée ou Inanna, nous ne pouvons nous transcender si nous ne faisons pas alliance avec notre ombre, pour savoir une fois pour toutes où celle-ci va agir. Ce qui implique tout le travail de connaissance de soi et de nettoyage, qu'il passe par la psychothérapie, les thérapies émotionnelles, les transes...

Non intégrée, notre ombre va interférer dans les processus psychiques. Elle va en augmenter le potentiel négatif, même si les meilleures intentions les animent. Ne dit-on pas que l'enfer est "pavé de bonnes intentions" !

Un ascétisme exagéré par exemple, mû par un sentiment inconscient de culpabilité, apparaîtra comme de la générosité ou de la pureté... mais si l'on examine d'un peu plus près le destin de cette personne, on s'aperçoit que cet ascétisme fonctionne comme une compulsion de répétition - répétition inconsciente de schémas d'échecs - dans le but inconscient de détruire tout ce qui aurait pu valoriser cette âme et lui donner un champ d'action plus large et plus ouvert sur le réel.

Faire l'économie de la prise de conscience des pulsions destructrices, c'est reporter le conflit à plus tard, c'est le rendre opératoire sur le plan matériel plus efficace encore... et cela, avec la plus parfaite naïveté !

Ce cours est plus une initiation que l'acquisition d'un savoir. De nos expériences, nous ne tirons aucune conclusion définitive. Nous n'avons pas d'explication. Et c'est mieux ainsi. Car c'est la spirale de nos interrogations qui, par son propre dynamisme, peut nous conduire au cœur de notre labyrinthe.

Mon expérience de psychanalyste me donne la faculté intuitive de repérer les analogies entre le discours et les résultats. Au besoin, je peux aider les personnes à comprendre la partie inconsciente qui est "entrée en jeu". La plupart du temps, si le processus est arrivé à maturité, la personne comprend d'elle-même...

CHAPITRE V

MAGNÉTISEZ DE LA VIANDE

La magnétisation de la viande, en vue de sa conservation, est un procédé connu des tribus "primitives". Elle est différente du boucanage qui consiste à exposer la viande à l'action stérilisante des rayons brûlants du soleil.

Théoriquement, on obtient, par une telle opération, un morceau de viande tout à fait sec, qui se conservera indéfiniment.

Quel est l'intérêt de l'expérience ?

Aujourd'hui nous avons des congélateurs et des réfrigérateurs. Aussi la raison d'une telle opération n'est pas notre survie.

Mais elle nous permet d'observer l'action du magnétisme bien que, dans notre cours, la momification des fruits ait déjà été probante. Ce qui est le plus intéressant ici c'est certainement de se voir confronté à la vie qui lentement quitte la chair, c'est de se voir confronté à la mort, à la putréfaction, mais aussi à la vie qui peut naître de la pourriture.

Après le charme des fruits, leur arôme et leur docilité, nous voici en présence d'une situation beaucoup moins charmante, encore que facile à gérer. Moins charmante, car le morceau de viande que nous allons magnétiser rappelle la mort; facile à gérer, parce que la viande, à condition toutefois de ne pas prendre une côte de bœuf de trois kilos, sèche très facilement.

Exercice

Achetez un bifteck (environ 150g) chez le boucher. Coupez-le en deux parties égales, car nous avons toujours besoin du témoin.

Conservez les deux morceaux dans les mêmes conditions.

Magnétisez - les mains à quelques centimètres - le morceau de viande "sujet" (sur ses deux faces) au moins cinq minutes par jour.

L'idéal est de conserver la viande dans une pièce fraîche, un garde-manger à l'ancienne. Le morceau sujet et le morceau témoin doivent être stockés dans les mêmes conditions thermométriques et hygrométiques. Le réfrigérateur fausse l'opération, le papier d'aluminium aussi car il conserve la viande dans trop d'humidité.

Après avoir surmonté les quelques obstacles liés à l'expérience elle-même - faire acheter de la viande à un végétarien convaincu, retourner chez le boucher car le chat a apprécié le morceau magnétisé, expliquer à la famille que l'on n'est pas complètement fou... - vous obtiendrez au bout de quelques jours un morceau de viande racorni, sec et noir, complètement momifié.

C'est du moins ce qui se passe en théorie et c'est valable dans bien des cas. Mais il arrive que la viande sèche sans intervention, ou que le témoin sèche aussi vite que le sujet.

Exemples

• Marie a poursuivi son expérience jusqu'au bout. Le premier jour, elle a constaté que l'énergie renvoyée par la viande était d'une nature totalement différente que l'énergie émise par le fruit. Elle a senti comme une force très puissante, une force encore présente dans la viande. Mais cette sensation s'atténuera avec le temps : *"La présence de l'animal s'éloignait, ça me refroidissait la main, elle devenait glacée."*

Au bout de quatorze jours, Marie s'est décidée à jeter un coup d'œil au témoin, incommodée par les miasmes qui s'en dégageaient. *"J'ai été terrifiée en voyant qu'il y avait des vers, mais j'ai cherché à faire face à cette sensation de décomposition, de pourrissement. J'ai beaucoup pensé aux corps des Saints qui se conservent. Le "sujet" sentait moins fort, il s'était conservé sans avoir séché."*

• Fabienne sentait d'abord des picotements dans sa main, mais à mesure qu'elle avançait dans ce "travail", ces picotements sont devenus vibrations. Elle obtint ainsi une dessiccation des deux morceaux, avec cependant une légère différence : le témoin était plus blanc - légère couche de sels -

et sentait plus mauvais que le sujet qui exhalait une odeur de viande fumée.

• Odile, quant à elle, n'a pas résisté à la présence des vers. Elle avait déjà fait un gros effort en achetant la viande, mais la vision de la décomposition a eu raison de cet exploit. Le tout a fini dans la poubelle.

Cela est compréhensible, mais dommage. En effet, ceux qui auront le courage de poursuivre l'expérience, ceux qui acceptent, autrement dit, de faire face à ce qu'il faut bien appeler le "devenir de notre corps après la mort", ceux qui auront surmonté l'odeur et la vision d'enfer, auront la surprise de constater que la mort engendre la vie à travers ces petites bêtes - particulières il est vrai - que sont les asticots. Mais le plus surprenant dans cette histoire, c'est que les asticots magnétisés deviennent beaucoup plus gros que les autres !

• Frank avait beaucoup d'énergie. Il commença son expérience un 1er novembre. Je m'attendais à ce qu'il séchât la viande très rapidement, or il obtint le contraire : la viande magnétisée parvint bientôt à un état de décomposition avancée, très humide et puante, tandis que le témoin avait très peu évolué et ses émanations étaient encore très "discrètes".

Ce rapport à l'humide est particulièrement sensible chez certaines personnes, à des moments donnés de leur vie. Il correspond à une phase psychique (que les alchimistes appellent "nigredo"), liée à la décomposition d'anciennes formes de fonctionnement psychiques.

• Gisèle a connu cette même expérience : sa viande magnétisée devenait de plus en plus humide.

Quand on magnétise la viande, ou une plaie, il est vrai que la première réaction visible est une aspiration des liquides vers l'extérieur, mais dans le même temps la magnétisation les sèche immédiatement et accélère le processus naturel.

Or Gisèle, comme Frank, obtenait au contraire une augmentation de l'humidité. Elle avouait qu'elle avait la sensation de projeter sur la viande tout ce qu'elle trouvait de *"mauvais en elle"*, toutes ses maladies, tous *"ses éléments nocifs"*, disait-elle.

• Simone n'aimait pas la viande, encore moins dans ces conditions. Elle fut très vite agressée par l'odeur. Elle revit dans cette expérience un conflit avec sa mère. Elle n'avait jamais pu "sentir" sa mère, au sens propre comme au figuré. De fait, sa maman sentait mauvais.

Elle a voulu, à travers cette expérience, agir sur l'odeur - on a remarqué, en effet, que l'on pouvait atténuer l'odeur par une action psychique - mais elle n'y a pas réussi : *"Cela a été l'opposé de ce que je voulais faire : plus j'agissais, plus elle faisait le contraire."* On ne savait plus si Simone parlait de sa mère ou de son morceau de viande... Personnellement, je penchais pour la première option !

• Corinne a essayé avec un blanc de poulet, après avoir envoyé le premier bifteck à la poubelle. *"Cela me rappelle la mort, le pourrissement, je m'y refuse; j'ai demandé à être incinérée."*

• Delphine a retrouvé son morceau de viande cuisiné à point dans son assiette, le soir même où il fut acheté. Son maître d'hôtel avait prévenu ses désirs ! Comme elle ne faisait jamais les courses, le brave homme avait pensé bien faire ! L'expérience s'est arrêtée là.

Rencontrer la chair qui a été vivante, entrevoir la mort, contempler le travail de la nature après la mort, constater notre impuissance devant ces processus et nos modestes capacités d'action, c'est un face à face qui nous aide à grandir.

Nous ne pouvons éviter de nous identifier à ce qui se passe sous nos yeux. L'animal dont nous contemplons un fragment a été vivant, comme nous le sommes maintenant. Certains captent des images de bœufs, d'autres ressentent encore "quelque chose" de vivant qui n'a pas complètement disparu. Parfois, nous pouvons aussi sentir l'énergie de l'animal au moment de la tuerie, la violence, le stress que notre civilisation moderne fait subir aux animaux. Nous comprenons la sensibilité des végétariens, leur horreur de la violence, leur refus de l'agressivité. La façon dont l'animal a été mis à mort reste à jamais gravée, mémorisée dans sa chair, même morte. C'est pourquoi la chair d'un animal sacrifié est certainement meilleure que celle d'un animal abattu dans une chaîne d'abattoir.

La vie quitte peu à peu le corps et c'est sans doute la raison pour laquelle, dans la religion chrétienne, il faut attendre trois jours avant d'enterrer un mort - on parle aussi du temps dont le mort a besoin pour récupérer les "archives" de sa vie passée.

Cette chair sur laquelle nous "travaillons" est aussi un peu la nôtre. L'identification inconsciente nous confronte à notre propre devenir après la mort. Comment accepter que ce corps physique, notre temple, notre véhicule si familier, puisse un jour devenir comme l'objet que nous avons sous les yeux ? Comment peut-il perdre son importance au point de devenir la proie des vers ? Ceci est parfois intolérable, d'où le cri du cœur de Corinne pour l'incinération.

Comment supporter de perdre dans l'abandon de notre corps toute l'importance que nous donnons à notre égo ?

Comment accepter la décomposition, la putréfaction, la puanteur, le néant ?

Cela nous donne à réfléchir sur ces personnages morts "en odeur de sainteté", telle Teresa de Ahumada y Cepeda, connue sous le nom de Thérèse d'Avila, dont la dépouille répandait une *"grande et merveilleuse odeur"*[1].

Thérèse d'Avila n'est pas la seule à avoir accompli le prodige de la transmutation de la chair sous l'action de l'esprit : citons encore Charbel Makhlouf, ce moine maronite du Liban mort en 1898, dont le corps, toujours intact, suinte un liquide rouge depuis un demi-siècle; ou encore Roseline de Villeneuve, morte en 1329, dont le corps résista à la corruption pendant cinq cent soixante-cinq ans ![2]

La science n'a pas su répondre à toutes ces questions. Nous pouvons simplement supposer que les forces de l'esprit réalisent des prodiges alchimiques.

Ce face à face avec la décomposition est comme une petite mort, une *"initiation"*, si nous acceptons d'y réfléchir. Elle nous confronte aux nécessités du détachement. Chaque détachement est une porte qui s'ouvre sur un autre monde, un monde plus large, où notre égo, certes, est moins important. Mais ce monde nous ouvre les portes d'un univers tellement plus vaste ! Et combien plus reposant !

Le trouble que nous ressentons, face au pourrissement,

---

1 Voir l'article de Michel Fromaget sur *"Mort et Splendeur du corps"*, bulletin de thanatologie 1977.
2 Hubert Larcher *"La mémoire du Soleil"* Ed. Sésiris.

nous renvoie à notre propre mort, nous venons de le comprendre, mais il nous renvoie aussi à un autre univers : l'ordre microbien.

Des forces cosmiques agissent à ce niveau, dont nous ignorons totalement les lois et qui n'ont plus rien à voir avec notre organisation. Il existe au niveau microbien une organisation beaucoup plus primitive qui fait "chavirer" notre petite conscience. Le spectacle nous paraît sale, honteux; il devient même terriblement dérangeant, car nous sentons que nous n'avons aucun contrôle sur ces niveaux qui nous renvoient face à notre inconscient le plus primitif, celui que l'éducation, l'ordre et le respect des lois nous ont appris à gérer.

Le spectacle des asticots au festin n'a rien de très attrayant, mais à bien y réfléchir c'est la vie qui se nourrit de la mort. Cela nous terrifie parce que cette vie nous échappe : nous avons l'angoisse de ne plus commander l'ignoble, le putride, l'immonde, le sale. C'est une vie qui s'est délivrée de quelque chose ; or, où va-t-on, si elle peut se délivrer sans notre contrôle ?

A partir du moment où nous nous sentons "en ordre" à l'intérieur de nous-mêmes, nous pouvons faire l'expérience sans aucune forme d'angoisse. L'angoisse naît du fait que ce "désordre" nous place en face d'une faute hypothétique que notre inconscient garde au plus profond de lui. Cette pourriture extérieure nous renvoie l'image de notre pourriture intérieure.

N'est-il pas fascinant en effet de constater que le magnétisme semble faire grossir les vers ?

Des études ont été menées sur l'action positive de la caresse dans le développement des animaux. Ashley Montagu, qui a consacré un livre très intéressant à ce sujet (*"La peau et le toucher"*), n'a pas étudié ce problème sous l'aspect du magnétisme mais sous celui de la caresse. Il est probable qu'une caresse vide d'énergie n'a pas une action positive sur le développement. Est-ce la caresse, ou bien l'énergie qu'elle transmet, qui favorise le développement ?

Dans l'expérience de la viande, c'est l'émotionnel qui est suscité, mais pas sous son aspect sentimental. Il est difficile d'avoir de l'attachement pour ce morceau de chair, et encore moins pour les asticots. Pourtant, notre énergie vitale, électromagnétique, est transmise. De plus, il est possible d'avoir de l'intérêt pour l'expérience. Cet intérêt mobilise notre attention qui se trouve elle aussi chargée d'énergie.

Ce passage par la magnétisation de la viande nous prépare aussi aux exercices suivants qui consisteront à magnétiser un abat de notre choix.

L'apprentissage de la guérison se présente en réalité comme un "travail" sur l'ouverture intérieure : la vision interne et la capacité à pénétrer le corps imaginaire de l'autre, que certains appellent le corps énergétique.

Nous devons savoir nous mettre en contact intime avec l'univers de celui qui réclame notre aide. Nous ne pourrons pas réussir ce prodige si nous refusons des parties de son univers qui correspondent à celles que nous refusons en nous.

CHAPITRE VI

MAGNÉTISEZ DES ABATS

Fonction imaginaire et symbolique des organes et des glandes.

Les organes et les glandes ont une fonction psycho-physiologique importante. Les principaux chakras et méridiens chinois sont liés d'ailleurs à ces organes et ces glandes, ce qui prouve bien leur correspondance étroite avec l'enveloppe éthérique et astrale.

Le langage est plein d'expressions qui en disent long sur l'importance des organes. Citons pour mémoire : *"se faire de la bile, se ronger le foie, avoir les foies, avoir l'estomac dans les talons, avoir de l'estomac, avoir du cœur, ouvrir son cœur, parler à cœur ouvert, bourreau des cœurs, avoir du cœur à l'ouvrage, avoir les reins solides, casser les reins à quelqu'un..."*

Foie, rein, cœur, cervelle, estomac... mettent en correspondance le corps physique, le corps éthérique, le corps astral et le corps spirituel[1].

La fonction symbolique d'un organe et sa fonction réelle sont étroitement imbriquées. Notre inconscient en possède déjà tous les arcanes. L'histoire qui suit en est l'illustration.

Il était une fois...

Nous arrivions, dans notre recherche avec les étudiants, au travail sur les abats. Je leur suggérai donc de choisir un abat et de le magnétiser jusqu'à la séance suivante.

Je ne sais pourquoi tout le groupe entendit *"foie"* dans le mot abat. Le *Dictionnaire des Symboles* nous apprend le foie est lié au discernement, à la vision claire - l'Antiquité ne lisait-elle pas l'avenir dans le foie des animaux ?- mais aussi aux émotions : colère, peur, jalousie, tout ce qui nous fait nous "ronger les foies". Claire et Isabelle, en tout cas, ont alors vécu

---

1 *"Le symbolisme du corps humain"* d'Annick de Souzenelle, nous paraît être le meilleur ouvrage sur ce sujet, Ed. Dangles.

un étrange enchaînement d'événements.

Claire n'avait acheté son foie que très tardivement : en fait, elle avait oublié ! Elle souffrait d'une conjonctivite qui s'était aggravée à deux reprises : à partir du moment où j'ai demandé aux élèves de travailler sur un abat et le lendemain de cet autre jour où elle a oublié d'acheter le foie.

Elle avait si mal qu'elle ne pouvait ouvrir son œil gauche. L'après-midi, elle décida de dessiner un *"mandala"* et s'en remit pour cela aux conseils d'un manuel. Lequel manuel lui suggérait de dessiner un œil, précisément le gauche ! Cela commença à l'intriguer. Pour la petite histoire, elle finit bien par acheter son foie... mais celui-ci termina le soir même dans l'estomac du chat !

Un autre fait intéressant se produisit le dimanche où elle dessina son œil. En ouvrant le livre voisin du livre de mandala (*"Le symbolisme du corps humain"* d'Annick de Souzenelle), elle tomba en arrêt sur un chapitre qui parlait du foie, détailla une photo et entreprit de lire l'histoire de Tobie qui, pour guérir l'œil de son père, doit recueillir le fiel et le foie d'un poisson.

Lorsqu'elle nous raconta ces faits, cette suite de coïncidences nous amusa, car elle confirmait le rapport qui existe, en médecine énergétique, entre le foie et l'œil. Mais quelle ne fut pas notre surprise quand Isabelle, qui arrivait à l'instant même et n'avait donc pas participé à notre échange, annonça qu'elle avait acheté du poisson, car dans son esprit c'était sur du poisson que nous devions travailler. Elle nous raconta alors un rêve magnifique dans lequel elle avait la tête à l'intérieur d'un poisson rouge.

Autre coïncidence : Claire et Isabelle avaient toutes deux oublié d'acheter le foie, ce qu'elles firent en fin de compte, chacune en compagnie de leur mère; mais le foie de l'une finit sa course dans l'estomac du chat, tandis que l'autre fut oublié chez la maman qui en fit son dîner...

Nous trouvons là une étrange chaîne symbolique, qui va du foie aux yeux, en passant par le poisson de Tobie, Jonas dans le ventre de la baleine (le poisson rouge et la tête d'Isabelle) la mère et les colères que toutes deux eurent cette semaine là. Dès l'instant où nous tissons une chaîne symbolique, les événements "se synchronisent" et font sens.

Rappelons-nous Thérèse d'Avila. Nous n'ignorons pas que son corps résista à la corruption, mais savons-nous que lors d'une exhumation secrète, faite le 8 Avril 1592, on extraya le cœur de la Sainte ?

Voici ce que nous raconte Hubert Larcher : *"L'organe détaché fut déposé entre les mains de la Mère Catalina de San Angelo, alors prieure du monastère, et celle-ci vit alors que le cœur était crevé d'un côté."*[1]. N'est-il pas étrange que la Sainte, qui avait suivi la *"voie du cœur"* pendant ses soixante sept années d'existence, soit morte d'une brèche à l'organe le plus sollicité durant son vivant, organe ô combien symbolique, lieu du travail alchimique de toute sa vie !

Exercice

Chacun choisit les organes à magnétiser selon son intérêt.

La méthodologie est la même que pour la viande : choisir un abat, le séparer en deux morceaux de même taille, conserver ces deux morceaux dans les mêmes conditions, et magnétiser le morceau désigné comme étant le morceau sujet.

Exemples

• Annie a choisi de magnétiser un cœur. Elle l'a séparé en deux parties égales. Elle y travaille très régulièrement, chaque jour, pendant une semaine.

Elle observe que le témoin est beaucoup plus humide que le sujet. Elle s'étonne que personne n'ait remarqué qu'il y a à la maison un abat en putréfaction, malgré les miasmes qui s'en dégagent; elle cherche mentalement à dresser un écran entre son expérience et les autres occupants de la maison.

Voici son témoignage : *"C'est curieux, cet écran devant cette odeur épouvantable; des mouches sont venues pondre; j'ai continué mais je suis passée par des moments difficiles; des vers grouillaient partout et soulevaient la carapace, donnant une sensation de vie. Pire que l'enfer de Dante ! Dans la même soirée, alors que j'avais ma main posée sur la poitrine de mon ami, je me suis mise à voir son cœur comme s'il était là devant moi, avec la perception terrible qu'il pouvait périr. C'était extrêmement fort. Mais j'ai compris qu'il fallait accepter la mort pour pouvoir voir plus loin."*

---

1 Opus. cité, chap 1, p 29.

• Corinne opte pour le foie. C'est pour elle un organe de purification et il concerne une amie. Après magnétisation elle obtient un foie "sujet" sec comme un morceau de cuir, alors que le témoin a un côté sec et foncé, l'autre face étant encore humide, brillante et verdâtre. Pendant cette semaine de "travail", elle a un rêve qui la marque beaucoup : son amie était couverte de feuilles mortes, des feuilles de marronniers, on la balayait pour les enlever; elle devait accoucher dans l'eau, on avait rempli la baignoire pour la faire accoucher.

Ce rêve lui donne une impression de renaissance car son amie a de graves problèmes de santé.

Durant la magnétisation, Corinne voit des prismes de couleurs lumineuses, rouges, jaunes, verts, bleus, ainsi que des petits cercles lumineux dont le centre est occupé par ce qui pourrait ressembler à un fœtus de trois mois.

• Pauline choisit instinctivement un foie d'agneau, parce que son propre foie est engorgé. Durant la magnétisation, la main droite qu'elle tient au-dessus du foie devient très froide, tandis que la main gauche, posée sur son propre foie, est brûlante.

Le foie témoin devient complètement fripé, tandis que le sujet semble avoir conservé sa fermeté. Pauline a une personnalité très particulière et ses résultats sont toujours imprévisibles.

• Sophie décide de travailler sur le cerveau, dont l'aspect labyrinthique la fascine.

• Fabienne choisit pour sa part un gésier... parce que son estomac se manifeste en ce moment !

Fabienne est très pudique et ne se livre que par trait d'humour. Son choix en est-il un ? Voici ce qu'elle nous raconte : *"Le gésier magnétisé est très virulent; il est réduit de moitié, sec, dur comme un morceau de ferraille; il est grand comme l'ongle de mon pouce, très mince et semble tout déchiqueté; plus il se ratatine, plus l'odeur devient forte et se concentre".*

"Quand je mets la main au-dessus, je ressens comme des effluves qui se condensent. Cela me donne l'impression d'un génie qui s'échappe de sa lampe, cela me cogne contre la paume de la main en formant une zone par endroits très chau-

de, par endroits très froide. Je le ressens comme quelque chose de très agressif, comme si, à mon action, on répondait de manière agressive."

La taille du témoin n'a pas bougé. Derrière sa façade humoristique et pudique, Fabienne, pour la première fois, nous en livre davantage sur sa relation au monde extérieur : elle donne beaucoup, elle est toujours très efficace, elle demande peu et se laisse souvent marcher sur les pieds dans les différends qui l'opposent à son entourage. Ce "génie" qui sort est sa partie forte, cette agressivité qu'elle se refuse à utiliser, mais qu'elle permet à d'autres d'utiliser à son encontre.

Les expériences avec les rognons sont particulièrement intéressantes, car le rognon est très fragile :

• Simone se décide pour le rognon, car elle a parfois des problèmes de reins. A son premier contact, elle sent ses mains froides. Elle évoque la mort. Elle a par la suite l'impression que le sujet lui envoie des picotements dans les mains. Elle aussi se sent agressée. Elle ressent plus douloureusement ses lombes les premier et deuxième jours. Puis le "travail" s'harmonise.

• Paul sentira lui aussi un picotement dans les mains face au rognon.

• Sylvie choisit également le rognon : *"J'ai posé mes mains sur le rognon, elles sont devenues très chaudes, comme si la chaleur remontait du rognon. Je les ai mis exactement dans les mêmes conditions, mais il y a une différence sensible entre les deux : la graisse de l'un est déjà jaune, alors que celle de l'autre est restée blanche. Celui qui n'est pas magnétisé est plus flétri et se noircit davantage que le sujet."*

• Claire, qui a décidé de magnétiser un cœur, a l'impression de ressentir très fort des battements dans la paume de la main.

Importance du travail sur les abats

La momification des abats est particulièrement difficile. Certaines personnes, cependant, obtiennent des résultats spectaculaires.

Nous plaçons l'intérêt de ce travail sur un autre plan : nous avons déjà fait un grand pas depuis la magnétisation de la viande; dans le cas d'abats, nous nous mettons en relation avec l'intérieur du corps - sa dimension symbolique - et avec l'image la plus exacte que nous puissions en avoir. Il s'agit d'apprendre à utiliser notre imagination pour accéder à une image "réelle", une image imaginale. C'est un exercice destiné à parvenir à l'héautoscopie (faculté de voir à l'intérieur du corps).

Qu'est-ce que le corps imaginaire?

La notion de corps imaginaire, abordée précédemment, mérite de plus amples explications, car elle est à la base de tout travail de guérison.

Le *"corps imaginaire"* est un concept d'origine psychanalytique. On le définit généralement en le comparant au *"schéma corporel"*.

Le schéma corporel est la perception-sensation que nous renvoie notre corps dans l'instant présent. Supposons que nous bougions activement le bras : il en résultera une perception-sensation particulière; peut-être sentirons-nous notre bras plus gros que d'habitude, plus volumineux. La sensation est consciente : il nous est toujours possible de nous demander comment nous ressentons notre corps.

En revanche, le corps imaginaire est inconscient. Difficilement dissociable du premier parce que la sensation du corps dans l'instant présent dépend aussi de facteurs affectifs, le corps imaginaire est une entité articulée à la relation à l'autre, et au premier "autre" qu'a été la mère, son maternage et son inconscient. Le corps imaginaire ne peut pas s'auto-percevoir. On le débusque au travers de productions imaginaires : les dessins d'enfants, les peintures, les sculptures, les rêves. On ne peut l'identifier que par rapport au fond sur lequel il s'inscrit.

Lié à l'inconscient, il est aussi énergie. Le corps imaginaire de la psychanalyse a son doublet énergétique qui est l'expression de celui-là sur un plan vibratoire.

Il existe plusieurs niveaux dans le corps imaginaire :
- Un premier niveau est lié à l'inconscient biologique. Notre

corps peut y puiser d'intarissables ressources énergétiques tant que dure la vie. C'est là que nous pouvons situer le magnétisme vital, le magnétisme lié au *"roc du biologique"*, pour reprendre les mots de Jacques Donnars, le magnétisme transmis par nos ancêtres. Il correspondrait à ce que les Chinois appellent *"tsai sheng yuan t'chi"*, ou énergie ancestrale. Ce corps énergétique est notre inconscient biologique.

- Un second niveau, où le corps imaginaire est lié aux expériences de la petite enfance. Il est difficile d'en faire une entité totalement indépendante du premier, car nos expériences infantiles s'inscrivent sur un fond héréditaire : on ne naît pas vierge. C'est ce corps que la psychologie clinique étudie de près, mais sans en connaître les incidences créatrices sur le plan de la matière (les *"poltergeist"*, par exemple), ce corps qu'à défaut la psychologie clinique range dans le fourre-tout "inconscient". Cependant, elle reconnaît sous ce vocable tous les phénomènes étranges.

Plus qu'une notion intellectuelle, ce corps imaginaire est une entité active, une énergie présente dans toutes les relations humaines. Chaque rencontre pourrait être peinte par un visionnaire comme un ballet de couleurs mobiles entre deux êtres, un ballet qui les auréolerait à leur insu.

Pourquoi travailler sur l'imaginaire ?

Le guérisseur entre en contact avec le corps imaginaire de son patient à l'aide de son propre corps imaginaire qu'il a longuement exercé pour en faire un "véhicule" conscient.

Cela se produit notamment dans les "tours de magie" des guérisseurs philippins. Les choses ne peuvent "fonctionner" que si nous participons à cette magie, si nous acceptons, autrement dit, d'être en même temps qu'eux dans ce monde situé de l'autre côté du miroir. Or cet autre versant est tout aussi réel; simplement, il ne se mesure pas avec la "métrique" que nous connaissons, mais son opérativité est concrète, bien que cela ne soit pas la réalité que nous connaissons.

Nous devons nous garder d'analyser ce que font les guérisseurs philippins avec nos références cartésiennes. Nous risquerions de n'y rien comprendre. Nous les soupçonnons de fausser l'expérience avec du sang animal; or, la véritable fonction de ce sang n'est pas de tromper l'observateur, mais d'être un support symbolique qui assurera le "passage" dans cette autre dimension de la matière qu'est la matière "psychique". Le guérisseur va travailler avec les corps imaginaires.Il n'est pas infaillible pour autant. Il a ses propres limites !

Nous pouvons supposer qu'il existe des gens capables d'agir sur la matière au point de la transformer, ce que nous verrons au chapitre traitant du magnétisme solaire. Mais il est prudent et justifié de considérer que beaucoup de ces guérisseurs n'agissent qu'au niveau hypnotique.

Lorsque nous prenons contact - par le biais de l'imaginaire - avec le corps de l'autre, il se passe d'étranges choses qui ne sont plus du domaine de l'imaginaire.

Le monde imaginaire, nous le connaissons bien. C'est celui de nos rêveries, de nos fantasmes. Nous nous sentons vraiment les créateurs de nos visions, de nos scénarios. Nous ressentons aussi les limites de notre propre imagination. Mais plus nous exerçons notre imaginaire, par la visualisation notamment, plus nous nous ouvrons sur un espace de la conscience qui n'est pas uniquement le fruit de notre imaginaire.

Qu'est-ce que l'imaginal ?

En utilisant l'imaginaire, nous creusons un canal qui peut se connecter avec ce que Henri Corbin appelle *"l'imaginal"*, ou ce que j'appelle *"l'imaginaire des Dieux"*. C'est-à-dire le grand réservoir du REEL.

Il semble que notre conscience fonctionne en miroir avec sa partie divine qui connaît tout : plus nous approchons du miroir, plus ce qui est de l'autre côté du miroir s'approche de nous jusqu'à ce qu'il y ait rencontre. C'est la synchronicité.

C'est à ce moment que surgit soit une image, soit un événement en parfaite concordance (ou phase), avec ce que nous avions à l'intérieur de nous. L'événement nous donne l'impression de venir du dehors. Il nous "questionne" au point que nous croyons devenir fous. Or, il ne s'agit absolument pas de folie : c'est là aussi une synchronicité.

La prière "action de grâce" fonctionne de la même manière : plus nous rendons grâce au Dieu de notre religion, plus sa
grâce nous irradie. Avec la prière nous utilisons un canal qui
est devenu une véritable voie fluviale depuis des milliers
d'années; son efficacité en est d'autant plus forte que la voie
est ancienne. C'est ainsi que les langues d'autrefois, que les
catholiques ont malheureusement abandonnées, avaient une
résonance plus forte, car elles étaient plus proches de la
langue originaire, celle-là même encore qui était dans l'immédiate proximité du Verbe, de la vibration originale.

En résumé, l'expérience sur les abats, dont nous n'avons
donné que quelques exemples, aborde des niveaux très
archaïques.

L'organe et la glande sont reliés au secret et au honteux.
Au secret, car il s'agit bien de notre machinerie intime; au honteux, car ils peuvent nous trahir : ils en disent long sur notre
inconscient lors de leur dysfonctionnement.

Chez l'animal, l'abat n'est pas la partie noble. Sa symbolique est extrêmement riche et pour la mieux connaître, nous
pouvons nous référer à l'acupuncture et au symbolisme de
l'Arbre de vie

Je terminerai par ce surprenant témoignage de la Mère
Agnès de Jésus (1592) lorsque, dubitative, elle tint le cœur de
Thérèse d'Avila dans ses mains après son exhumation : *"... elle
sentit que la main droite dans laquelle elle le tenait lui donnait
des pulsations. Troublée, elle comprit de suite que c'était bien
le cœur de la dite Sainte Mère et, le déposant de sa main, elle
commença à la fermer et à la serrer pour voir si les pulsations
qu'elle avait ressenties quand elle tenait le cœur en main conti-
nuaient quand elle ne le tenait plus, s'imaginant qu'il s'agissait
peut-être de quelque altération du pouls. Elle se rendit compte
que les pulsations et battements qu'elle avait ressentis auparavant avaient disparus."*[1]

---

1 Témoignage de Mère Catalina. Procès remissoral de 1610, in *"La mémoire du Soleil"* de Hubert
Larcher, Ed. Désiris.

CHAPITRE VII

MAGNÉTISEZ DES GRAINES

*"Dans la graine, la vie est cachée dans la mort;
dans le fruit, la mort est cachée dans le fruit."*

Claude de Saint Martin
(Le Ministère de l'Homme-Esprit)

Nous procéderons en trois temps :

> • 1. Magnétisation d'un sujet par rapport à un témoin ;
> • 2. Détermination de la main directrice ;
> • 3. Attribution d'un pot à une ou plusieurs personnes de notre entourage.

MAGNÉTISATION D'UN SUJET PAR RAPPORT À UN TÉMOIN

Exercice

> Choisissez des graines : blé, lentilles, soja ou tournesol.
> Prenez-en une cuillère à soupe; disposez-la sur du coton humide dans un pot en forme de ravier.
> Répétez l'opération avec un second pot.
> Vous avez maintenant deux pots : l'un sera le sujet de l'expérience, l'autre le témoin.
> Placez-les dans des conditions identiques d'humidité, de température, d'exposition et d'emplacement.

Certains de mes élèves, qui ont mené parallèlement leur expérience sur plusieurs sortes de graines, ont senti des énergies différentes d'une variété à l'autre. Le choix pourra donc se faire par affinité avec la plante.

Ainsi nous avons donc deux pots avec le même nombre de graines et la même quantité d'eau (n'oubliez pas de les arroser !). L'un sera régulièrement magnétisé, l'autre sera purement et simplement ignoré.

Qu'obtenez-vous ?

Les graines-sujets poussent plus vite que les graines-témoins. L'efficacité du magnétisme est manifeste dès la germination.

Dans le pot magnétisé, le nombre de graines germées est beaucoup plus important que dans le pot témoin. Cette activation se poursuit pendant dix à quinze jours, puis le pot témoin rattrape le pot sujet.

Plantées dans de meilleures conditions, les pousses du pot sujet seraient probablement plus grandes que celles du pot témoin. C'est du moins ce que semblent démontrer les expériences faites par la communauté de Findhorn[1].

Dans le cadre de notre travail, nous avons observé un effet que nous attribuons par hypothèse à la relation *"magnétique"* entre le sujet et l'objet, sachant que ce terme "magnétique" recouvre des domaines encore inexplorés par la science. Bien des facteurs nous échappent encore; nous nous contentons donc d'enquêter sur la relation inconsciente présente dans toute rencontre phénoménologique.

La plupart du temps, nous obtenons une accélération de la pousse, mais nous ne devons pas occulter les effets inhibiteurs que peuvent provoquer certaines personnes.

Voici quelques exemples.

• Charles vient d'un milieu modeste. A la retraite, il s'intéresse à de nouveaux domaines que le temps du labeur ne lui a pas permis de découvrir. Il se passionne, entre autres, pour le magnétisme.

Il montre ses résultats au reste du groupe : son pot témoin est beaucoup plus florissant que le pot magnétisé.

Il a l'impression d'un "échec", mais on ne peut parler ici d'échec ou de réussite. Dans ce genre d'expériences il y a simplement un phénomène que l'on observe en essayant de comprendre si, à l'intérieur de nous, quelque chose a pu influencer le résultat.

Je demande à Charles de nous raconter comment s'est passée son expérience. Il commence à nous expliquer et s'arrête soudain, tout surpris. Il vient de comprendre : *"Mais je*

---

1 Findhorn est une célèbre communauté de pionniers qui a cultivé la terre en harmonie avec les "Dévas" des plantes. À lire : *"Les jardins de Findhorn"* Ed. Nature et Progrès.

sais pourquoi ! Le pot témoin c'est moi, moi l'enfant de l'assistance publique; je n'ai jamais été le sujet; je suis celui qui est laissé de côté, comme ce pot !"

Inconsciemment, Charles s'était identifié au pot auquel on ne portait aucune attention. Malgré son action volontaire sur le sujet, il avait focalisé toute son énergie sur le témoin, .

• Simone, dont nous avons déjà dit qu'elle avait quelques difficultés avec les "miasmes" de sa mère, se trouve à nouveau confrontée à la putréfaction : son sujet et son témoin fermentent.

• Marie, qui toujours eut des doutes sur elle-même, a éprouvé beaucoup de plaisir à magnétiser ses lentilles. Elle a senti de la légèreté, des pétillements dans les mains. Elle a eu des visions de fleurs blanches. Le pot sujet est plus développé que le témoin. Résultat normal.

• Lyviane n'a pas pu s'empêcher de magnétiser le témoin. À la mort de sa mère, lorsqu'elle avait quatre ans, elle fut - comme Charles - confiée à une famille dans laquelle elle se sentait très mal comprise. Comme lui, elle a eu besoin de donner de l'amour à ce témoin qui la symbolisait. Ce témoin décidément occupe une étrange place ! Mais la plantation florissante de Lyviane lui procure une joie immense.

• Lisa n'obtient aucune pousse après quinze jours de "travail", même dans le témoin. Elle observe quelques moisissures et elle a une impression de froideur.

Elle nous raconte finalement qu'elle a perpétuellement des problèmes avec de l'eau. Son action est activatrice sur la moisissure, mais elle a pu choisir des graines trop vieilles pour germer.

Le contact avec le règne végétal soulage des tourments suscités par le travail sur les abats.

Le règne végétal est en effet d'une grande douceur. On mesure combien il est plus satisfaisant de coopérer au développement de la vie plutôt que de constater les conséquences de la mort.

Si notre affectif est encore peu engagé dans ce type

d'expérience, les témoignages de Charles et de Simone doivent nous inciter à rester prudents quant à nos implications inconscientes. Le règne végétal commence se fait de plus en plus sensible à notre énergie.

DÉTERMINEZ VOTRE MAIN DIRECTRICE

Exercice

Choisissez trois pots, dans lesquels vous déposerez une cuillerée de graines (les conditions sont les mêmes que lors de l'expérience précédente).

Vous magnétisez un pot avec la main droite, un autre avec la main gauche; vous ne toucherez pas au troisième qui est le témoin.

Il faut entre trois jours et une semaine pour parvenir à déterminer notre main directrice. Si le pot de la main droite pousse plus rapidement, c'est que notre main directrice est la droite; si le pot de la main gauche pousse plus vite, notre main gauche est directrice.

Il arrive cependant que le témoin pousse mieux : c'est le signe que nous avons exercé, à notre insu, une action inhibitrice sur la pousse.

La main directrice est généralement la droite chez les hommes et la gauche chez les femmes; la main réceptrice est la gauche chez les hommes et la droite chez les femmes. Il se peut aussi que l'une des mains soit plus réceptrice pour la "chaleur magnétique" et moins pour les vibrations. Nous devons donc prendre le temps de nous connaître. La main directrice est celle qui envoie le plus d'énergie.

Exemples

• Simone prend beaucoup de plaisir à magnétiser ses deux pots. Elle perçoit l'image d'un fœtus dans une petite poche. Ses graines magnétisées germent plus tôt que le témoin, puis ce dernier finit par dépasser la main gauche. Mais les pousses jaunissent comme si elle étaient brûlées par le soleil. Simone constate qu'elle les grille d'un excès d'attention !

• Solange est soulagée par la simplicité de l'expérience. Le pot, qu'elle a "travaillé" de la main gauche, est beaucoup plus développé.

• Lyviane, qui fait cette expérience pour la troisième fois, accepte que le témoin soit un vrai témoin : il reste encore un peu plus développé que les pots sujets. Elle a horreur, répétons le, de laisser un pot de côté.

INFLUENCE DE L'INCONSCIENT

Exercice

> Attribuer un pot à une (ou plusieurs) personne(s) importante(s) de son entourage, et garder un pot témoin.
> On magnétisera les pots en pensant à la personne concernée (il est important de bien la visualiser).

Effets de moisissure

• Lisa choisit du soja. Elle attribue un pot à deux de ses amis, à une sœur qu'elle aime beaucoup et à un témoin. Cela fait quatre pots.
Les plantes germent lentement par rapport au "témoin". Une odeur de moisi se dégage du pot de l'ami garçon : *"Il est en analyse..."* dit Lisa.
À l'évidence, le pot de sa sœur pousse mieux que les autres; quant au pot de son amie, il se met à germer subitement après qu'une image eut traversé l'esprit de Lisa, l'image d'une pierre qui se brise en dégageant une grande lumière de l'intérieur.
Lisa a un rapport étrange à l'humide et à la putréfaction. En Alchimie, c'est la phase de l'*"Œuvre au noir"*, où tous les éléments de la psyché éparpillés envahissent l'intellect. Ce qui arrive à son ami en psychanalyse confirme cette hypothèse. Car avant de "restructurer", l'analyse nous fait passer par une phase de destructuration correspondant à la *"nigredo"* ou *"Œuvre au noir"*.

• Simone constate que ses pousses ne moisissent plus. Elle

avait un "compte à régler" avec les odeurs et la putéfraction. Elle semble, désormais, avoir dépassé cette difficulté.

Elle avait décidé d'attribuer un pot à sa mère à laquelle elle reprochait le manque d'hygiène. Elle consacre maintenant cette expérience à sa fille et à son gendre. Quand elle magnétise le pot de son gendre, elle ressent un frisson glacé. *"Rien ne passe entre lui et moi."* dira-t-elle ; tandis qu'avec le pot qu'elle a réservé à sa fille, elle voit de merveilleuses couleurs, ressent une certaine chaleur et observe une accélération de la pousse.

Effets d'inhibition

Il y a *"inhibition"* quand l'un des pots donne des brins plus petits que le témoin.

• Fabienne attribue un premier pot à une amie très chère qui est atteinte d'un cancer, un deuxième pot à son mari dont elle est séparée. Le troisième est le pot témoin.

Quelle n'est pas sa stupeur quand elle constate que le pot de son ex-époux est florissant, bien plus que le témoin, tandis que le pot de son amie n'a que des pousses jaunes.

• Marie n'est pas très contente de ce qu'elle obtient : la *"plantation"* de sa mère est exubérante par rapport à celle du pot témoin; et contre toute attente les germes de son père et de son frère sont moins vivaces, contrairement à son désir. En outre, le pot attribué au père présente des pousses blanches.

• Suzanne, qui a "travaillé" sur ses trois enfants, est plutôt surprise de voir que c'est le pot de l'enfant "à problèmes" qui pousse le mieux.

• Luc consacre un pot à son fils aîné, un pot à l'aîné d'un deuxième mariage et un pot au dernier fils. Il se rend compte que le pot consacré à l'aîné de son deuxième mariage - son deuxième fils - est complètement grillé ! Il ne comprend pas, car c'est à cet enfant qu'il consacre le plus d'énergie : il le pousse dans toutes les activités, il est derrière lui, il l'aide.

L'inhibition de la pousse varie d'une personne à l'autre, d'un moment de la vie à l'autre. La fatigue peut influer autant dans le sens de l'inhibition que dans celui de la destruction. J'en fis moi-même l'expérience.

J'avais, sur mon balcon, deux bacs à fleurs que j'arrosais régulièrement avec de l'eau magnétisée, ce qui facilitait la croissance des plants..Mais un jour, je répétai cette opération alors que je me remettais à peine d'une intervention chirurgicale. Une semaine plus tard, toutes les fleurs étaient mortes.

Car les opérations affaiblissent le corps physique. Le corps éthérique (ou électromagnétique), quant à lui, garde longtemps une trace, une cicatrice dans son aura. Les séquelles sont encore plus importantes s'il y a eu anesthésie, car elles touchent la conscience. Pour parler le langage des chamans, *"une partie de l'âme est restée perdue dans l'astral."*

L'acupuncture ou toute autre thérapie du corps énergétique peut contribuer au bon rétablissement de ce corps.

L'effet inhibiteur est dû, nous l'avons maintenant compris, aux projections que nous faisons inconsciemment sur l'objet à magnétiser. Nous constatons que la pousse n'obéit pas du tout à ce que nous appelons communément "amour". Ses lois sont bien plus mystérieuses.

Et d'abord, qu'appelons-nous "amour" ?

Ou plus exactement, de quoi notre amour est-il chargé ?

L'expérience de Fabienne est riche d'enseignement. Elle ne doute pas un instant de sa dévotion pour son amie. Toute sa force et son amour sont dirigés vers elle. Mais la plante montre bien que la représentation inconsciente de Fabienne pour son amie est altérée par le poids de la maladie. Le mari, inversement, est vécu comme un être plein d'énergie.

L'expérience de Marie est à peu près similaire. Il s'agit cette fois de sa mère par rapport à son père.

Suzanne, hantée par le handicap de son fils, a attaché moins d'importance aux deux autres enfants qui lui semblaient "pousser tout seuls". Or, les graines lui renvoient bien une autre réalité : leurs pots sont moins développés.

Luc prend conscience qu'il "pousse" peut-être un peu trop son deuxième fils : il le brûle de son attention, il ne lui laisse plus d'espace vital, il le consume d'amour.

On constate donc que les représentations inconscientes n'ont rien à voir avec l'affection consciente. Elle sont liées à des forces occultes et plus profondes.

Seconde hypothèse : lorsque nous magnétisons, nous créons une relation entre nous et un objet. Dans toute relation à deux, nous sommes quatre : il y a l'autre tel qu'il est, mais aussi la représentation que je me fais de lui : cela fait déjà deux personnes; et puis il y a moi, ainsi que la représentation que l'autre se fait de moi.

Enfin, nous pourrions presque dire qu'il existe un cinquième personnage : l'égrégore[1] formé par la réunion de deux représentations, un égrégore dont l'action serait devenue plus opératoire que celle du magnétiseur.

Cette hypothèse reste à étudier. Elle suppose, et c'est mon intuition, que les plantes ont une certaine "opinion" sur nous. Après tout, nous en avons bien une sur elles !

Effets accélérateurs

Nous parlons "d'effets accélérateurs" quand les pots sujets sont plus développés que le pot témoin, même s'ils le sont à différents degrés.

• Valérie constate que tous ses pots poussent mieux que le pot témoin, mais elle est surprise car le pot attribué à son mari pousse nettement plus vite que les pots consacrés à ses enfants. Son élan est pourtant dirigé, dit-elle, vers les enfants plutôt que vers son époux avec qui elle est en "difficulté".

• Solange, qui a "travaillé" sur trois pots, obtient des brins plus hauts que ceux du pot témoin. Elle avait choisi un neveu qu'elle aime beaucoup, une amie atteinte d'un cancer et une amie intime. Le pot attribué au petit garçon pousse très bien, celui de l'amie malade un peu moins bien (il présente une petite pousse en crochet). Celui de l'amie intime est le pot le moins développé.

---

1 Un égrégore est une entité énergétique formée par la réunion de plusieurs personnes rassemblées ou connectées autour d'une idée commune.
L'égrégore devient dynamique et influence à son tour chacun des êtres qui sont à son origine.
Il existe des égrégores positifs et des égrégores négatifs.

Comment se fait-il que ce soit le mari qui bénéficie de l'énergie que Valérie "destinait" à ses enfants ? Pourquoi les graines de l'amie intime de Solange se développent-elles si mal ?

L'hypothèse de l'égrégore permettrait d'expliquer pourquoi les maris "durs à cuir" s'en sortent mieux ! Ils mobilisent davantage d'attention.

Leur propre vitalité influence l'expérience.

Nous avons observé de surcroît qu'une pousse maladive, blanche, en crochet, ou jaunissante, témoignait la plupart du temps d'une maladie, connue ou encore insoupçonnée.

Nous avons vu que la plante brûlait chaque fois qu'il y a "excès" d'attention. Il s'agit de réfléchir sur la nature de cette attention. Dès lors qu'il y a mobilisation de l'esprit pour compenser une culpabilité, cette énergie est de nature à inhiber le processus de développement. En revanche, quand l'attention inconsciente est concentrée sur la résolution d'un problème vital, c'est celui-ci qui bénéficie de l'énergie.

Conclusion logique : la morale sociale n'a rien à voir dans cette histoire, seule la morale biologique a la parole. Culpabilité et bons sentiments ne changent rien à l'affaire. L'énergie vitale, dans son élan le plus pur, peut être étouffée par les codes sociaux et religieux, et, par voie de conséquence, par les névroses. Pourtant, elle préfère se nourrir de vitalité plutôt que de dévotion.

Ces témoignages d'activations sur la pousse constituent la majorité des résultats; cependant, nous venons de le voir, ils ne sont pas systématiques, surtout au début des expériences. La prise de conscience des raisons pour lesquelles nous inhibons la pousse permet de libérer l'énergie et de la diriger d'une manière plus efficace.

La volonté consciente n'a pas sa part dans ce processus, car elle est trop souvent la volonté du mental. Nous sommes reliés à des zones beaucoup plus mystérieuses et beaucoup plus secrètes, devant lesquelles nous devons rester modestes et nous sentir humbles. Nous sommes alors très loin de l'idée de "pouvoir", habituellement associée au magnétisme.

Effets étranges

• À la suite de sa vision - une pierre avec une grande lumière qui se dégage de l'intérieur -, Lisa s'aperçoit que la pousse concernant une amie s'est amorcée.

• J'ai vécu un phénomène à peu près similaire à celui de Lisa.

J'avais rapporté d'un séminaire, très important pour moi, des cosses dont les graines devaient donner de petits arbustes. Je ne les ai mises en pot que deux ans plus tard. Six mois ont passé, sans que rien ne pousse.

Puis je fis un rêve très précis : j'entrais en contact avec la personne qui était directement liée à cette histoire de graines. Quelques jours plus tard, un arbuste apparaissait. Il en poussa trois.

• Catherine a opté pour quatre pots : pour sa mère, pour son père, pour une amie et un ami. Elle oublie de prévoir un pot témoin.

Un soir, elle compare les pots et constate que les graines attribuées à sa mère poussent mieux que les autres, celles du père restent chétives, tandis que les pots attribués à l'amie et l'ami sont de même taille.

Elle n'est pas étonnée par l'aspect du plant attribué à son père : elle a toujours eu une communication difficile avec lui. Mais elle observe un curieux phénomène avec le pot de l'ami : elle apprend sur lui une nouvelle qui la touche profondément. Elle en parle à une amie le lendemain. Le soir même où elle compare les pots : quelle n'est pas sa surprise, lorsqu'elle constate que les pousses attribuées à ce garçon ont grandi de deux centimètres... en une seule soirée !

Parler de ce qui la préoccupait a permis de libérer un potentiel d'énergie à l'égard de cet ami.

Si la parole aide à la prise de conscience, si elle libère les énergies, nous constatons que les visions et les rêves agissent de la même manière.

Ces expériences témoignent d'une influence inconsciente sur la matière. Même si nous n'en comprenons pas tous les arcanes, c'est un fait que l'on ne peut nier.

Au sein du règne végétal, notre rapport avec la matière se fait plus complexe. Dans les expériences que nous venons de décrire, nous devons tenir compte de plusieurs influences possibles : celle de notre inconscient, celle de notre inconscient mêlé à celui de la personne représentée par la plante, et celle de notre inconscient dans son étrange rapport avec les "Esprits" du règne végétal, ou fées, ou Dévas, ou autres Esprits dont nous ne savons rien...

Aux différents niveaux que nous venons d'explorer, cette influence est intimement liée à notre inconscient personnel; elle devrait nous mettre en garde quand nous "opérons" avec des êtres humains. Qu'envoyons-nous comme énergie quand nous magnétisons ? Où l'envoyons-nous : sur le sujet ou sur le témoin ?

Nos expériences démontrent que l'attention que nous portons à un objet - ou à une personne - interfère sur cet objet. Les physiciens appellent *"collapse du psi"* l'instant de cette rencontre où il y a interaction entre la conscience de l'expérimentateur et l'entité observée.

Régis Dutheil, dans son livre intitulé *"La Médecine superlumineuse"*, suggère qu'il existe une interaction du même ordre entre le malade et le médecin "expérimentant sur le malade". Par le simple fait de penser un client malade, il peut arriver que le médecin "transforme" une maladie "virtuelle" en une maladie "réelle". Cela nous aide peut-être à comprendre pourquoi, en consultant certains médecins, nous nous sentons guéris avant même d'avoir pris le traitement, ou vice-versa !

Nous constatons que les prises de conscience libèrent l'énergie.

La pratique donne la confiance, l'expérience et la maîtrise qui permettent un meilleur contrôle.

Certaines personnes ont la capacité d'être positives et de transmettre cet amour sans aucun apprentissage : elles donnent directement ce flux d'énergie de guérison. On les appelle des guérisseurs. On peut dire d'eux qu'ils ont un don.

CHAPITRE VIII

MAGNÉTISEZ DES CRISTAUX

"Dans la nuit du tombeau, Toi qui m'a consolé,
Rends-moi le Pausilippe et la mer d'Italie,
La fleur qui plaisait tant à mon cœur désolé
Et la treille où le Pampre à la Rose s'allie."

Gérard de Nerval

Il s'agit maintenant d'une expérience qui devrait nous permettre d'observer les effets de la conscience sur le développement d'un cristal cultivé. C'est une forme de spagyrie. Il n'est pas question ici de l'utilisation du cristal à des fins thérapeutiques; de nombreux livres traitent de cet aspect et nous y renvoyons le lecteur intéressé. Rappelons-nous seulement que le cristal est utilisé dans l'industrie pour ses qualités de transducteur, d'oscillateur et de condensateur.

La magnétisation d'une eau-mère agit sur la disposition (amas, torsades, arborisations, emboîtements, éparpillements, dessins divers), sur la taille et sur la transparence des cristaux... et non sur leur structure moléculaire[1].

Le cristal gardera toujours son appartenance à sa famille génétique : il existe en effet sept familles de cristaux - chacune ayant sa structure géométrique et moléculaire propre - ainsi qu'une *"lignée de cristaux, lesquels se forment à partir d'une grille géométrique commune."*[2]

Si le travail sur la viande s'apparente au domaine instinctivo-moteur et le travail sur les graines à l'affectif, il semble que le travail sur les cristaux ait quelque résonance avec la sphère mentale.

Le cristal est une forme qui nous paraît propre et très organisée. Son aspect géométrique évoque un univers bien différent du chaos apparent de la putréfaction de la viande; ou des fantaisies vénusiennes des plantes. La "rencontre" avec ce règne nous implique tout autant mais d'une façon très différente.

---

1 Rudolf Steiner (1861-1925) fondateur de la Société Anthroposophique, a beaucoup étudié ces phénomènes dans son laboratoire suisse. On a pu faire tout un travail de diagnostic en utilisant le chlorure de cuivre.
2 *"Les pouvoirs secrets des formes et des cristaux"*, Katrina Raphaell, Ed. Albin Michel.

Nous magnétisons les cristaux en deux étapes. La première étape consiste à se fabriquer son propre stock de cristaux magnétisés. La seconde, à les magnétiser de nouveau en les trempant dans leur eau-mère. Chacun des exercices est expliqué ci-dessous.

Exercices

Première étape : formation du cristal

Vous achéterez chez le pharmacien du sel d'alun ou Alun de potassium. Il est vendu généralement par paquet d'un kilo.

Vous verserez un demi-litre d'eau déminéralisée (l'eau distillée fera l'affaire) dans un récipient avant d'y dissoudre l'alun jusqu'à saturation de l'eau (l'eau est saturée quand le sel ne fond plus). Vous pouvez chauffer très légèrement l'eau pour accélérer la dissolution; plus vous chauffez l'eau, plus vos cristaux seront gros et opaques.

Il faut encore filtrer le liquide afin d'éliminer les derniers cristaux. Vous obtiendrez ainsi un filtrat : l'eau-mère. Veillez à fabriquer une grande quantité d'eau-mère, car elle servira pour la seconde étape.

Versez environ vingt centilitres de cette eau-mère dans un cristallisoir et vingt autres centilitres dans un second, afin d'avoir un pot sujet et un pot témoin.

Vous magnétiserez régulièrement le pot sujet, jusqu'à évaporation de l'eau. Normalement, vous observerez une évaporation plus rapide de l'eau du cristallisoir que vous magnétisez. Vous rajouterez donc de l'eau-mère.

Résultats

Nos expériences nous ont démontré que, dès cette première étape, les résultats obtenus sont très différents d'une personne à l'autre (même après avoir éliminé le maximum d'aléas).

Nous observons la difficulté de certaines personnes à obtenir, à conditions égales, autre chose que de la poudre.

La disposition du sel le long des parois du cristallisoir n'est pas non plus sans intérêt. Non seulement le pot magnétisé aura une arborescence plus haute, mais on remarquera aussi des dessins très particuliers qui se sont formés sur le verre. Ces formes sont en relation avec l'inconscient de la personne qui a travaillé sur l'eau-mère. Je dis bien "l'inconscient", car on ne produit pas une forme spécifique par simple effet de volonté. Ces formes au contraire peuvent surprendre. Cependant, les mystères des forces qui agissent sont loin d'être élucidés.

L'inconscient, que nous ne limitons pas à l'inconscient freudien, est le terme que nous utilisons pour exprimer l'effet du psychisme sur la matière selon des lois que nous ne connaissons pas. De ce point de vue, les expériences de Morichini ont de quoi laisser songeur.

Astrologue et homme de science, Morichini eut l'idée de braquer une lunette astronomique sur un astre et de placer sous l'oculaire un petit récipient contenant du chlorure de sodium. Au bout de plusieurs semaines, le sel ne cristallisait plus en cubes mais en prismes. Il mit ainsi en évidence l'existence d'un champ électromagnétique, comme nous lorsque nous magnétisons l'eau-mère. Mais *"Morichini estima que ce n'était pas forcément le rayonnement astral qui provoquait ces résultats, mais la vibration fondamentale de la planète visée, qui devait pouvoir être reproduite en remplaçant le rayonnement direct par le symbole, c'est-à-dire par la signature cosmique de la planète."*[1]

Il travailla à l'abri des vibrations extérieures et plaça le symbole d'une planète sur la solution à cristalliser. Comme il n'obtint rien au bout de plusieurs semaines, il pensa que le symbole utilisé n'était pas le bon. Il en essaya d'autres. Procédant par tâtonnements pour plusieurs planètes et constellations, il reconnut le symbole authentique lorsqu'il obtint les mêmes résultats qu'avec la lunette.

Nos travaux sont plus modestes, mais à l'instar des expériences de Morichini, nous observons que notre champ de conscience interfère sur notre expérience. A l'inverse, comme pour les Spagyristes, notre expérience interfère sur notre champ de conscience. Et cela est particulièrement vrai des cristaux.

---

1 *"L'Alphabet des dieux"*, Jean Haab, Ed. Jean Haab.

Exemples

Les témoignages sont aussi nombreux que variés : il existe autant de types d'expériences qu'il y a d'expérimentateurs. Citons quelques-unes d'entre elles.

• Thérèse obtient quelques gros cristaux accolés les uns aux autres et un cristal isolé en forme de pyramide : *"Il y en a un là, tout seul, qui a une forme de pyramide... je ne l'aime pas."* Après écoute, Thérèse est renvoyée à sa peur de l'enfermement dans une forme.

• Bernadette se met à rêver : ses rêves sont multiples, très riches et lumineux.

• Luce obtient une "fleur" magnifique sur les bords du cristallisoir.

• Gilles a de nombreux cristaux, tous très transparents.

• Luc trouve deux blocs importants de cristaux dans le pot magnétisé et une multitude de petits blocs dans le pot témoin.

• Françoise obtient l'effet exactement contraire.

Chaque expérience renvoie à une fantasmatique personnelle. Un même résultat sera interprété de façon différente; nous repérerons également à travers le langage les signifiants propres à chacun.

Cependant, quelques préoccupations essentielles se dégagent de ce travail sur les cristaux. On pourrait dire que, derrière les inconscients personnels - où chacun y va de sa propre histoire -, l'inconscient collectif s'impose avec ses grandes thématiques suscitées par le phénomène même de la cristallisation. Ainsi, nous voyons apparaître tour à tour les thèmes de la pureté, de l'organisation, du fœtus, de l'ordre...

Les rêves sont activés. Ils se font plus nombreux, plus lumineux. Ils se chargent de plus de sens que les rêves résidus des insatisfactions de la journée. Il est important de les noter et de chercher à les interpréter.

Le sens initiatique des rêves est nouveau. Ainsi, Claire rêve qu'elle se trouve sur une crête de montagne, avec un précipice de chaque côté. N'est-ce pas le symbole même de la vie initiatique, au cours de laquelle les énergies sont tellement fortes par moments, à certains endroits du chemin, qu'il faut une très grande conscience et une très grande sagesse pour ne pas être emporté par elles ? Parfois, elles menacent en effet de nous faire basculer dans la maladie ou dans la folie.

La constellation "pureté" - éternelle illusion de l'homme qui confond pureté et sainteté, comme si la présence de la Grande Organisation n'existait pas aussi dans les miasmes - se lit dans certains rêves de purification.

• Simone nous livre ses rêves avec réticence : elle a imaginé que ses selles se retrouvaient devant elle.

• Dominique rêve qu'elle vomit sang et foie.

• Véronique raconte : *"J'allais mourir, en ce sens que j'étais complètement vidée de mes organes. Je n'étais plus qu'un corps extérieur, une enveloppe; je me voyais en tant qu'enveloppe, à l'intérieur de laquelle il n'y avait plus rien. Tout avait été vidé... il ne restait qu'une apparence extérieure à laquelle les autres croyaient, mais moi j'étais seule à le savoir. Et comme j'étais mortellement blessée à l'idée que cette enveloppe qui était vidée n'allait plus tenir, je savais que j'allais mourir; j'en étais heureuse, j'étais en paix, contente, mais je cherchais un endroit pour mourir et je ne trouvais pas cet endroit. Je commençais à m'inquiéter car je sentais que ça allait venir et je n'avais toujours rien trouvé. Là-dessus, je me suis réveillée..."*

La grande folie de certains hommes consiste à se couper des grandes forces à l'œuvre dans l'univers en les méprisant parce qu'elles évoquent leur propre confusion intérieure, leurs rapports de culpabilité avec leurs pulsions, leur désordre interne fait de désirs non assumés. Cela donne les grandes forces intolérantes, religieuses ou sociales, les extrémismes, comme s'il y avait danger à ce que tout bouge, tout vive et tout évolue... comme s'ils risquaient de ne plus pouvoir en contrôler les forces, de la même manière qu'ils redoutent de ne plus savoir maîtriser leurs propres pulsions.

Cela donne les grandes phobies : ainsi les Américains, qui ne supportent pas la vitalité de notre camembert. Passer leur douane avec un vrai camembert défie les lois humaines. Que penseraient-ils de nous s'il savait qu'à la campagne, un vrai camembert est un camembert qui *"bouge tout seul"* ? Ils découvrent maintenant les vertus du vin, que seules peuvent donner certaines levures.

Pensons aussi aux ascètes des premiers siècles après J.C. qui nous ont laissé le souvenir de pratiques pittoresques ! Rappelons-nous les Stylites et les Broutteurs. Les premiers préconisaient l'isolement au sommet d'une colonne. Quand ils faisaient école, on voyait naître des champs de colonnes, des "colonies", comme des monastères aériens. *"Parfois ces saints perchés ne s'entendaient pas entre eux, ce qui donnait lieu à de curieuses scènes. Le moine syriaque de langue grecque Jean Moschus rapporte, au début du VIIè siècle, l'aventure de deux stylites voisins, l'un orthodoxe, l'autre monophysite, qui polémiquaient et même s'injuriaient d'une colonne à l'autre."*[1]

Les Broutteurs avaient des convictions tout aussi originales. Ils avaient fait vœu de n'être pas plus exigeants que les bêtes sauvages : ils marchaient donc à quatre pattes, broutaient l'herbe...

Folie ou héroïsme ? Un chemin surprenant en tout cas, mais que certains auront emprunté jusqu'à sa sublimation, tel Saint Syméon le Stylite, ou Jacques le Broutteur qui devint évêque de Nisibe en Mésopotamie.

Les plus grandes œuvres se font parfois sur les plus grandes folies !

Pour leur confort, les hommes ont besoin de certitudes éternelles. Ils éprouvent de grandes difficultés à suspendre leur jugement, à accepter qu'une chose soit à la fois blanche et noire. Ils cherchent plutôt à la faire ou blanche ou noire, afin de pouvoir mieux supprimer l'autre terme, en général au nom de Dieu, ou du Bien.

Le travail sur le cristal éveille la nostalgie d'un grand ordre cosmique bien propre et bien prévisible qui nous permettrait de dormir sur nos deux oreilles !

On constate effectivement que cette méditation avec le

---

1 Aimé Michel, *"Métanoïa"*, Ed. Albin Michel, coll. Spiritualité Vivante, 1986.

cristal purifie le mental, comme si, en écho, elle le structurait. Elle met en évidence la perception d'une charpente, d'une structure, d'une enveloppe, ainsi que nous le montrent les trois rêves ci-dessus qui font allusion à un nettoyage, à une vidange *"de l'intérieur"*.

L'eau-mère sur laquelle nous travaillons est, à l'instar de l'eau originelle, la mère de toutes les formes. Comme le fœtus, le cristal va naître en respectant le code génétique transmis par la mère. Nous ne pouvons prétendre agir sur autre chose que sur la répartition des cristaux et sur leur pureté; certaines personnes obtiennent des cristaux à l'éclat très pur, comme le diamant, bien qu'en général les cristaux magnétisés soient plus brillants que les cristaux témoins. Nous n'en connaissons pas la raison exacte, mais on observe généralement que ceux qui obtiennent ce genre de cristaux ont une vie intérieure très riche.

Cette première expérience nous a donné un certain nombre de cristaux, que nous allons "réserver" - pour reprendre un terme de cuisine !

Par ailleurs, nous avons conservé notre eau-mère.

Deuxième étape : influence de la psyché

> Nous choisissons quatre cristaux : trois magnétisés et un cristal non magnétisé.
> Nous remplissons quatre pots de yaourt avec l'eau-mère.
> Nous ficelons chacun des cristaux avec un fil et nous les trempons, chacun dans un pot. Le cristal non magnétisé sera le cristal témoin. Nous n'agirons pas sur ce pot (pas consciemment du moins !)

Il reste trois pots :
• Le premier pot sera magnétisé avec l'énergie mentale. Vous pouvez imaginer un rayonnement partant de la tête (troisième œil, entre les deux yeux) et se dirigeant sur le cristal qui baigne dans son eau-mère; vous pouvez aussi magnétiser avec la main, en vous ressourçant avec l'énergie mentale.

L'énergie mentale a son *"goût"* : c'est celui que nous avons lorsque nous aimons une occupation qui la mobilise : les jeux d'échec, les jeux d'ordinateur et tout ce qui touche à la réflexion.

• Le deuxième pot sera magnétisé avec l'énergie affective. Cette fois, vous imaginerez le rayonnement partant du centre du cœur et du plexus. L'énergie affective est ce goût que nous ressentons quand nous aimons quelqu'un. Elle part de la poitrine et des bras.

• Le troisième pot sera magnétisé avec l'énergie instinctivo-motrice. Le rayonnement part de la zone sexuelle et du périnée. L'énergie instinctivo-motrice a aussi son goût : elle est l'élan du désir sexuel, mais aussi le besoin de bouger, que nous remarquons chez les enfants.

Gardez un niveau de liquide constant dans chaque pot, de façon à ce que le cristal baigne toujours complètement.
Magnétisez régulièrement chacun des pots "sujet".

Résultats

Nous observons un certain nombre de différences entre le pot témoin et les pots magnétisés.
Dans certains pots, l'eau s'évapore plus rapidement.
Des cristaux fondent, sans aucune logique car il sont trempés dans leur propre eau-mère, dans une solution autrement dit à même degré de saturation.
Des cristaux grossissent plus vite que d'autres. Certains deviennent beaucoup plus transparents.
Chacun d'entre eux a une façon très particulière de se construire autour du cristal d'origine, en évoquant des formes et des symboles que l'opérateur peut trouver signifiants.
La complexité des interprétations psychologiques est plus grande en ce domaine que dans le cas des plantes. Nous sommes dans une *"métapsychologie"*, ou dans l'alchimie.

Exemples

• Voici ce que dit Caroline de son expérience : *"Le cristal cor-*

respondant au mental a un peu de cristaux accumulés tout autour de manière bien régulière. Le cœur est comme la tête, mais plus bas; il a comme un gros renflement, une espèce de boule toute ronde. C'est bien droit tout le long du fil puis tout d'un coup il y a une boule à peu près de cette taille."

Caroline fonctionne parfaitement bien sur le plan intellectuel. C'est une femme d'une très forte sensibilité, qu'elle cache derrière la dérision. Elle ajoute : *"Le cristal du sexe est un peu comme celui de la tête, mais c'est plus fin; alors que pour le témoin ça tient tout seul debout, le fil est tout raide, ça grimpe par capillarité, comme une ancienne pendule."*

• Sylvie arrive désemparée. Elle croit avoir raté son expérience. Le cristal correspondant à la zone sexuelle a complètement fondu, alors qu'il profitait des mêmes conditions que les autres.

Nous sommes en face d'un processus psychologique typique que les alchimistes appellent le *"solve"*. La stupeur des élèves est grande quand ils voient disparaître ce cristal cultivé avec tant d'attention.

L'alchimiste procède par opérations successives de *"solve"* et de *"coagula"*, c'est-à-dire de dissolutions et de rassemblements, jusqu'à ce qu'il parvienne à transmuter la matière (corrélativement à son âme) pour lui restituer son équilibre archétype.

Dans nos expériences, il arrive que le cristal se dissolve la première fois et que les élèves, après cette étape, réussissent à en coaguler un autre.

CHAPITRE IX

DEVENEZ CONSCIENT DE VOTRE ACTION SUR LA MATIÈRE

LA MATIÈRE OBÉIT-ELLE À VOS INTENTIONS ?

Les chapitres précédents nous ont montré les incidences de notre pensée inconsciente sur la matière, avec laquelle nous entretenons une relation bien particulière.

La représentation inconsciente

Nous avons, à l'égard de toute manifestation, une certaine vision de la vie; cette vision est formée aussi de nombreux a priori sur les gens, sur les événements - la plupart du temps à notre insu. C'est ce que l'on appelle la *représentation inconsciente*. Il s'agit de "notre" réalité à nous, que la plupart du temps nous croyons partagée... mais il faut nous rendre à l'évidence : il existe autant de réalités que d'êtres humains !

Jour après jour, nous projetons cette représentation de la vie, sur la matière qui nous entoure.

Cette projection joue dans les deux sens.

Une de mes patientes reprochait à son mari de l'avoir "enfermée psychologiquement", jusqu'à la rendre complètement dépendante de lui. Cet homme avait en effet une personnalité étrange, qui le conduisait à rechercher le contrôle sur tout ce qui l'entourait. C'était, en quelque sorte, un empailleur - un taxidermiste de la vie - puisqu'il avait besoin d'ôter toute vie afin de maîtriser son entourage (en psychanalyse, on parlerait d'un "anal"). Ma patiente fut très étonnée de voir que son mari, depuis qu'il était à la retraite, avait aussi rendu le chat totalement dépendant.

Ces représentations inconscientes sont actives sur les plans individuel et familial : elles engendrent les névroses familiales, qui ont souvent, aussi, une forte connotation sociale. Il

suffit de regarder la télévision ou d'écouter la radio pour vérifier chaque jour qu'un pays tout entier peut avoir sa névrose !

La représentation devient consciente

Nous pouvons cependant acquérir un contrôle relatif sur
notre pensée - sur l'énergie qu'elle véhicule.

Bien souvent nos désirs, inconsciemment formulés comme
des souhaits, peuvent devenir très actifs. Ils le sont d'autant
plus qu'ils relèvent de la sphère du préconscient, et non de la
volition.

Le meilleur exemple que l'on puisse citer de ce type
d'action est le *"mauvais œil"*. Les Méditerranéens ont une
grande conscience de son efficacité. Ils préconisent de ne
jamais faire un compliment trop élogieux, lequel pourrait attirer
l'envie non seulement des personnes, mais aussi des êtres
occultes qui agissent sur les humains. De ce point de vue,
l'envie est porteuse de *"mauvais œil"* : elle fait basculer la
chance.

C'est la raison pour laquelle beaucoup de religions recom-
mandent de ne pas exposer sa richesse. Non par humilité,
mais bien parce que lesdites religions connaissent les lois de
l'harmonie : ce qui est trop bien appelle l'énergie contraire -
l'envie - qui est porteuse de négativité et qui n'est rien d'autre
que du *désir mal assumé.*

Les souhaits inconsciemment formulés sont très forts. Ils
agissent à notre insu, positivement ou négativement selon les
pensées que nous émettons.

Le bien et le mal ne sont pas liés à des valeurs morales.
Les forces de notre inconscient ignorent ce qui est bon ou
mauvais, elles sont énergie et elles agissent.

Nous venons d'observer deux types d'actions : les activatrices et les inhibitrices. Si nous voulons faire pousser une plante, les forces activatrices se rangeront du côté du bien; mais si
nous désirons arrêter une prolifération de nature indésirable, les
forces activatrices se rangeront du côté du mal. Il nous est difficile d'identifier quelle énergie nous envoyons. Nous remarquons simplement que les forces de l'amour choisissent elles-
mêmes le sens dans lequel elles doivent agir. Mais savons-
nous vraiment quand nous donnons un amour désintéressé ?

Connaissant mon action accélératrice sur certaines matières - développement des bactéries sur *"gélose au sang"* - je me suis toujours gardée d'intervenir quand l'un de mes enfants avait une gastro-entérite. En revanche, j'ai pu les aider lors de brûlures, maux de tête, hématomes ou blessures qui saignaient, en calmant la douleur, en arrêtant les saignements et en accélérant la cicatrisation.

Ce qui ne m'a pas empêchée de me faire souvent *"piéger"* dans mes rapports avec les plantes. Voici par exemple une histoire de souhait conscient, où mon mental ne pouvait pas inhiber une action.

J'avais sur mon balcon un bac de "pensées" que j'arrosais habituellement avec de l'eau magnétisée. Oubliant la couleur des fleurs que j'avais achetées, je magnétisais l'eau en visualisant des fleurs jaunes et bleues, couleurs des fleurs que j'avais achetées en d'autres occasions.

Quelque temps après, je me souvins cette fois-ci que je n'avais acheté que des pensées jaunes. Je fus évidemment très étonnée de découvrir, par la suite, une pensée bleue dans mon bac à fleurs !

Si je m'étais souvenue que je n'avais que des fleurs jaunes, non seulement je n'aurais probablement pas formulé le désir d'avoir des plantes bleues, mais j'aurais certainement bloqué le processus en le croyant impossible.

Il m'est arrivé une autre histoire étrange. J'avais, depuis deux ans, des graines d'un arbre qui pousse en Méditerrannée et que j'avais recueillies lors d'un séjour très important pour moi dans l'un de ces pays.

Je décidai enfin de les planter, au bout de deux ans. Six mois ont passé, sans que la moindre pousse ne sorte de terre. Puis, une nuit, une personne étroitement liée à ces graines m'apparut dans un rêve très intense. Deux jours plus tard, une pousse apparaissait. Trois petits arbres ont ainsi poussé, très régulièrement.

Un jour, j'en vins à formuler à l'égard de ces arbrisseaux une double injonction, non dénuée de colère. Quelque temps après, je dus constater leur mort avec tristesse, un à un, à une semaine d'intervalle, dans l'ordre inverse de leur éclosion, sans qu'aucune intervention de ma part désormais ne put inverser le processus.

Avaient-ils été sensibles à mon état de colère, qui pourtant ne les concernait en rien ? Avaient-ils répondu à ma question ? Je ne saurais me prononcer formellement sur ces hypothèses; tout porte à croire en tout cas que ces arbrisseaux ont vécu ces faits comme peuvent réagir des enfants (ou des adultes) qui sont soumis à ce genre d'injonction : par l'inhibition de l'action.

Les plantes réagissent comme nos enfants

Nous avons observé, lors des expériences sur les pousses attribuées à des enfants, combien le poids de l'angoisse parentale pouvait empêcher la plante de se développer.

Il en va de même pour nos enfants. Notre angoisse porte directement atteinte à leur développement (physique, psychologique), nous pouvons réellement les empêcher de "pousser".

Rien n'est plus tangible que l'angoisse émise par une personne. L'enfant n'a ni la possibilité ni le choix d'échapper à celle de ses parents, sauf dans la maladie ou dans la folie. Il en est de même dans les relations entre adultes ou au sein d'un couple : à force de recevoir quotidiennement une dose de négativité, une maladie se crée, qui n'est souvent qu'une manière élégante, pour bien des couples, de s'engager sur le chemin de la séparation.

Faisant pendant au poids de l'angoisse, il y a, bien sûr, l'illumination de l'amour et de la joie. Avec cette énergie, toute vie se développe et apporte le bonheur.

Prenez conscience de votre rayonnement

Ces exercices de magnétisme auront atteint leur objectif s'il nous font prendre conscience de la réalité de cette interaction entre nous et notre environnement, s'ils nous montrent que nous sommes responsables du bien-être de ceux qui nous entourent, comme ils le sont du nôtre.

La recherche du "bien-être" n'exige pas pour autant qu'il faille codifier les relations et les rendre stériles de toute vie pour ne pas gêner l'autre. Au contraire, la vie et la joie se développent quand les élans sont libres de toute contrainte et de toute bienséance. Ce qu'irradie une personne ne dépend absolument pas de ses apparences extérieures. Il est parfois intéressant de se glisser dans une aura, et de faire ainsi discrètement l'expérience d'une personne !

Ces constatations nous amènent à rester très vigilants face aux êtres à qui nous confions une partie de notre destinée : les médecins ou thérapeutes. Combien de fois ai-je eu le sentiment que le médecin (ou thérapeute) ne savait pas se mettre en résonance avec son malade, qu'il projetait sa propre pensée, exigeant du malade qu'il se conformât implicitement à sa façon de voir.

Le malade reçoit, au niveau de son corps, toutes ces projections inconscientes; dans certaines occasions propices, il laissera alors se développer une maladie qui n'était jusqu'à présent qu'à l'état de *"possible"*. Par sa pensée, le médecin peut donc actualiser une maladie, tout comme un séjour prolongé dans un asile rend réellement fou !

En revanche, il existe également - par chance - de véritables thérapeutes, dont la simple écoute dilue toute symptomatologie et annihile le besoin d'avoir à dire "j'ai mal". On peut alors parler de qualité de présence, de rayonnement...

Vous avez votre libre-arbitre

Force est de constater que nous n'avons qu'un libre arbitre très limité dans notre action sur la matière, mais nous avons le choix de le développer par la CONSCIENCE.

Cette *"ouverture"* nous permet de travailler conjointement avec les forces de l'évolution. De grandes voies existent, qui peuvent nous guider. On constate ainsi que certains êtres, que l'on dit "éveillés", ont acquis des dons qui agissent même à leur insu, tel le Christ guérissant la femme hémorragique. Toutes les religions ont leurs saints et leur prophètes, auteurs de grands prodiges.

Il existe aussi des hommes et des femmes, des anonymes, qui ont su "bénir" leur environnement. Ma femme de ménage m'a ainsi raconté qu'à la mort de sa grand-mère, reconnue pour être une sainte femme, le cerisier de son jardin a donné une deuxième fois des fruits. En Tunisie, on dit poétiquement que l'arbre rêve; on attribue ce phénomène à une seconde saison douce. Mais, dans cet exemple, il n'y a eu que cet arbre pour redonner des fruits.

Le respect pour la beauté et la vie

Notre présence, indéniablement, a une *"qualité"* et le but avoué de cet ouvrage est de nous aider à prendre conscience de son importance. Il est essentiel de ne jamais oublier que tous les règnes vivent, qu'ils méritent notre respect, qu'une infinie beauté est cachée à l'intérieur de chacun d'eux.

Et si un jour, comme le fait Mario Mercier, nous avons la chance d'entrer en contact avec l'âme de cette matière - les fées ou Dévas, s'il s'agit des plantes -, alors nous comprendrons l'immense responsabilité que nous avons à l'égard de notre monde.

COMMENT PERCEVOIR LE MONDE VIVANT

Nous vous proposons maintenant une série d'exercices qui visent deux objectifs : apprendre à nous identifier à n'importe quelle matière, apprendre à construire notre double qui sera notre messager.

La pratique de ces exercices exige une grande régularité et un bon équilibre psychique. En tant que psychologue, nous constatons que ces pratiques demandent de la souplesse et une certaine adaptabilité psychique, qui sont à la base de tout fonctionnement imaginaire.

Le monde imaginaire

Aborder le monde imaginaire autrement que comme le reliquat du monde concret, lui reconnaître son existence propre, est habituellement un travail de chaman et de poète.

Entre notre monde concret et le monde de l'imaginaire, il existe un voile. Ce dernier a un rôle protecteur, car le monde imaginaire peut être une "réalité" très dangereuse. Il peut avoir un impact direct sur le corps (pensons, par exemple, aux expériences de drogue négatives).

Ce monde imaginaire est une réalité, mais il est construit comme le miroir de notre psyché. Nous y rencontrons les fruits de notre propre psyché : nos peurs profondes, nos instincts refoulés, mais aussi les fabuleux trésors de notre inconscient dont parlent les contes et les mythes. L'important est de savoir se diriger dans cet univers et de pouvoir ensuite se "raccrocher" sans problèmes au monde concret. Voilà pourquoi ces pratiques requièrent une grande souplesse mentale et un grand équilibre.

Certaines personnes s'imaginent avoir contacté la "Réalité transcendante", sans se rendre compte qu'il ne s'agit là que d'un niveau de leur réalité psychique, où les fruits de leur propre inconscient côtoient ceux de l'inconscient collectif.

D'autres se perdent dans ce monde imaginaire. Ils se laissent volontiers emporter par lui - tout en reprenant contact, de temps à autre, avec la réalité - et ce d'autant plus fortement que personne ne peut déterminer avec certitude ce qui appartient ou non à la réalité. Nous avons déjà vu que l'objectivité n'est qu'une subjectivité partagée. Nous nous trouvons donc en présence de personnes qui éprouveront des difficultés à faire la part entre leurs propres projections et ce qui vient de l'extérieur.

Importance des structures psychologiques

Nous avons observé que le manque d'adaptabilité imaginaire que l'on rencontre dans certaines structures psychologiques - les personnalités psychosomatiques, les grands dépressifs, les phobiques (dans un langage de spécialiste on parle du manque de liaison entre le processus primaire et le processus secondaire) - rend ceux qui en sont victimes incapables d'aborder cet univers de l'imaginaire.

Généralement, ces personnes préfèrent rester bien calfeutrées dans le confort psychologique d'un univers bien codifié et dépourvu de toute aventure. Castaneda rapporte que Don Juan voyait chez la plupart des gens le champ aurique de la forme d'un œuf lumineux divisé en deux parties, mais que ceux dont l'aura avait trois ou quatre parties étaient *plus souples que l'homme moyen et pouvaient devenir Naguals après avoir appris à voir."*[1,2]

La grandeur et la puissance de ce monde donnent le vertige. Il est déconseillé de s'y aventurer sans guide, ou sans la préparation que donne l'initiation. *"Etre Nagual est une chose plus difficile et d'une plus haute volée qu'être simplement un homme plus souple que les autres et qui a appris à voir"* ajoute Don Juan.

Les exercices qui suivent n'ont pas cette prétention, mais ils nous donnent une première formation. On les retrouva dans de nombreuses techniques telles que le Yoga, la Sophrologie...

Exercice n°1

Il concerne la relaxation. On se reportera aux exercices développés dans un chapitre précédent.

Exercice n°2

Vous êtes allongé ou assis en relaxation et vous prenez conscience de la partie du corps qui est en contact avec le fauteuil ou le matelas.

Vous ferez ensuite une "expansion de conscience", en imaginant que vous allez dans le fauteuil (ou le matelas), puis dans le sol, les murs et tout ce qui peut constituer la pièce.

Après quoi, il s'agit de revenir dans les limites du corps.

Exercice n°3

Imaginez-vous en train de devenir plus grand, plus petit.

Imaginez-vous en train de flotter à quelques centimètres du sol, ensuite à un mètre. À chaque fois, vous réintégrez le corps par la conscience de la sensation corporelle.

Imaginez vous en train de vous déplacer dans la pièce, soit en marchant, soit en flottant. Jouez avec toutes les possibilités de votre corps imaginaire.

Aventurez-vous un peu plus loin et essayez de "regarder" autour de vous avec les yeux de l'esprit. Faites le tri entre ce que vous pensez "réel" et ce que vous pensez "imaginaire". Vérifiez éventuellement auprès de personnes ou d'amis que l'on a visités en imagination les événements observés.

Au début de notre pratique, il est évident que notre corps imaginaire n'aura pas beaucoup de consistance.

---

1 *"Le feu du dedans"*, Collection Témoin, NRF Gallimard.
2 "Voir" signifie pour Don Juan élargir le champ des perceptions au point de pouvoir évaluer non seulement les apparences extérieures, mais aussi l'essence de toute chose.

Exercice n°4

Explorez différents espaces et ouvrez les cinq sixièmes sens !

Vous vous retrouvez par exemple au bord d'une plage et vous sentez sur votre peau le contact du sable, humez l'air, voyez la luminosité de cet espace, écoutez le bruit des vagues, sentez dans votre bouche le goût de la mer.

Explorez l'intérieur d'une plante, d'un arbre. Imaginez que vous êtes l'arbre, planté là depuis de longues années et observez ce que vous ressentez.

Imaginez que vous allez à l'intérieur d'un fruit, et que vous ressentez le contact de sa pulpe. Faites-vous encore plus microscopique, de la taille d'un atome et ouvrez les yeux sur ce monde particulaire. Faites confiance aux images mentales et aux sensations qui viennent.

Exercice n°5

Identifiez-vous à un objet familier, ou ancien, et observez ce que vous ressentez.

Posez mentalement des questions sur ce qu'a "vu" cet objet. Ecoutez les réponses qui viennent sans juger a priori.

Le véhicule de conscience

A présent, nous commençons à connaître l'existence de notre corps imaginaire; nous maîtrisons nos visualisations; nous avons acquis une certaine confiance. Le moment est venu de rendre plus consistant ce corps imaginaire.

Certaines personnes ont le don inné du dédoublement, d'autres ont pu le vivre dans des expériences de "sortie hors du corps".

Nous proposons d'apprendre à sculpter ce double et à en faire notre "aide de camp". Sachant qu'une fois façonné, il deviendra opérant, traitons-le avec amour.

Nous faisons là un pas très important : nous allons bientôt nous rendre compte que cette entité que nous avons toujours considérée comme imaginaire - presque comme un concept ou comme le fruit de nos fantasmes - peut devenir beaucoup plus concrète. En la cultivant avec notre esprit, notre volonté et notre conscience, nous pouvons la faire passer du subjectif à l'objectif.

Existe-t-il un danger de développer une attitude paranoïaque ? Certes, on ne peut nier ce risque, même si nous avons entièrement conscience de construire une forme-pensée avec notre propre matière psychique (comme nous l'entendons) et même si nous nous sentons responsables du phénomène.

La puissance de la pensée, aidée de la conscience, peut rendre ce corps imaginaire opérant, alors qu'il n'était jusqu'à présent que le support malmené de nos fantasmes inconscients. C'est précisément là que nous tendons vers l'élaboration de notre "véhicule sacré", ce corps archétype, ce corps de conscience éternel.

Les religions nous disent que "la foi sauve". Autrement dit, nous construisons notre éternité avec notre foi. Ceci est essentiel : nous créons notre univers; les hommes ne cessent de créer l'univers. Si nous nous empêchons de le créer en ne croyant pas aux forces de notre imaginaire, il se peut que nous aidions le néant à faire son travail...

Les exercices suivants s'adressent aux personnes qui ont déjà une grande conscience de leur corps et qui auront pratiqué le hata yoga, la relaxation dynamique du premier et deuxième degré de la sophrologie Caycédienne, ou une autre technique corporelle permettant d'habiter son corps.

Exercice n°6

Cet exercice sera fait en lune montante. C'est le moment où les énergies lunaires et telluriques sont les plus favorables.

Bien au calme et protégés de toute interruption intempestive, nous nous tenons debout et nous éjectons à partir de notre plexus solaire - à environ deux ou trois mètres - une substance bleu-gris sous forme de nuage.

Petit à petit, nous lui donnons une forme qui ressemble à notre silhouette, sans chercher à définir les détails. Il est important que cette forme reste un peu floue. A mesure que cette silhouette se concrétise en face de nous, nous la ressentons avec beaucoup de positivité. Nous lui donnons toutes les qualités et tous les dons que nous nous souhaitons.

Puis, nous apprenons à la réabsorber par notre plexus.

Exercice n°7

Lorsque nous sentirons notre double un peu plus assuré, nous pourrons lui demander de devenir notre messager.

Nous lui commanderons un certain nombre de tâches, nous lui demanderons de prendre un certain nombre de renseignements pendant un laps de temps qui peut varier de deux minutes à une journée. Lorsque nous le réintégrerons, nous lui demanderons la liste des événements.

Plus ces exercices sont pratiqués, plus nous devenons performants. Veillons à bien réintégrer notre double et à ne pas tenter de "promenades" hors de notre juridiction si nous n'y avons pas été formés. Les autres univers sont peuplés d'entités que nous n'avons pas encore appris à "intégrer".

Exercice n°8

À présent, nous pouvons visualiser "comme si nous y étions."

Imaginons-nous maintenant en train d'aider quelqu'un (à condition, bien sûr, qu'il le demande !)

Pour cela, nous pouvons nous reporter sur les lieux où se trouve cette personne ou nous pouvons nous l'imaginer devant nous. Pour faciliter la visualisation, nous utiliserons le pouvoir du verbe : nous appellerons cette personne trois fois par son nom, mentalement ou à haute voix. Sa représentation devient de plus en plus précise et vivante. Nous la regardons et nous prenons note de l'état dans lequel nous la sentons.

Nous nous voyons maintenant devant elle, à quelques centimètres seulement. Avec nos mains, nous lui adressons des rayons de lumière jusqu'à ce que sa physionomie se transforme et que le bien-être apparaisse sur son visage.

Nous pouvons alors cesser toute visualisation.

"Le sage fait plus qu'apprendre par la volonté à détourner une énergie au profit d'une autre. Il s'initie à la connaissance de lui-même, à l'utilisation des forces qui sont en harmonie avec lui... au service de l'autre".

Devenir conscient de notre action sur la matière, c'est :

• accepter que nos pensées inconscientes influent sur elle;
• les repérer par un "travail" de magnétisation (sur les fruits, la viande, les abats, les plantes ou les cristaux);
• faire un travail de conscience sur soi, en développant l'être sur ses trois niveaux : corps, âme, esprit.

CHAPITRE X

POUVEZ-VOUS GUÉRIR TOUT LE MONDE ?

Il est temps pour nous d'énoncer une donnée qui nous paraît essentielle : si le magnétisme apporte un supplément d'énergie, le corps et la psyché (c'est-à-dire l'âme dans toutes ses dimensions) font ce qu'ils veulent de ce supplément.

Il importe de bien comprendre que le magnétisme n'est pas une "magie" étrange, mais un phénomène énergétique purement humain, qui est régi, lui aussi, par les lois de la psyché.

Lorsque nous soignons par magnétisme, il nous faut tenir compte :
- du malade ;
- de la maladie.

La plupart des magnétiseurs soignent instinctivement; ils ne savent pas réellement si leur action sera suivie d'effet. Ils agissent en fonction de ce qu'ils sentent et se disent que Dieu reconnaîtra les siens. Ce sont de véritables générateurs d'énergie et nombreuses sont les personnes en difficulté qui viennent se "recharger" auprès d'eux. Ils n'ont pas besoin de "savoir" au sens intellectuel du mot, il leur suffit de posséder une grande connaissance intuitive du corps et de la psyché.

Cependant, leurs résultats seraient encore plus probants s'ils connaissaient l'importance du transfert et du symptôme dans la relation.

LA RELATION

Ce qui se passe entre l'autre et vous

Toute rencontre crée un phénomène : entre l'homme et l'objet, l'homme et la plante, l'homme et l'animal, l'homme et l'homme, l'animal et l'animal, l'animal et la plante... la plante et la pierre.

Tout est vie. Tout contact entre deux êtres crée une danse de particules lumineuses qui réjouirait nos yeux si nous pouvions l'observer.

En certaines occasions, les partis s'attirent; à d'autres moments, au contraire, ils se repoussent (l'allergie est un phénomène de rejet), sans qu'il soit possible de "dire" pourquoi ils se rejettent.. Cela vaut pour les humains, pour les animaux et pour les plantes. Il arrive assez souvent, n'est-ce-pas, que deux plantes du même pot se rejettent, que deux animaux s'affrontent ou que deux humains s'ignorent ?

Pour le clairvoyant, cette danse est haute en couleurs. C'est une rencontre énergétique.

Nous pouvons supposer que les plantes et les animaux ont un inconscient vital. L'homme possède aussi un inconscient personnel. Quand un être humain rencontre un autre être humain, c'est souvent le début d'un jeu inconscient de projections, qui se traduit par ce genre de réflexion : *"Ah ! celle-là, je ne peux pas la piffer !"*, ou bien *"Il est bien, celui-là."*; celui-là ou celle-là étant, à son insu, des rappels de personnages de son enfance.

Du fait de son éducation, l'être humain a refoulé un certain nombre de représentations. Celles-ci peuvent resurgir à son insu, en se projetant sur quelqu'un. C'est pourquoi nous pouvons dire qu'a priori, nous sommes toujours en situation de tranfert.[1]

Si nous parvenons à avoir conscience de nos projections, nous pouvons alors aider l'autre en faisant appel à nos capacités de compassion, mais cela reste très délicat.

Quand sommes-nous *"dans la compassion"* ? Sur le plan énergétique, nos mains peuvent nous servir de révélateur, de guide : lorsque nous avons un élan pour quelqu'un, elles irradient beaucoup d'énergie et cela ne passe pas par le mental. C'est un bon repère, qui peut parfois s'avérer très utile...

Je me trouvais un jour en relation avec un homme qui détestait les femmes. A cette époque de grande bonne volonté - et de beaucoup de naïveté ! -, je lui proposai une relaxation et je plaçai une main sous sa nuque (cf. technique de la nuque). Quelques minutes plus tard, je me retrouvai avec une crampe dans le bras.

1 Désigne, en psychanalyse, le processus par lequel les désirs inconscients s'actualisent sur certains objets dans le cadre d'un certain type de relation établi avec eux... il s'agit là d'une répétition de prototypes infantiles, vécue avec un sentiment d'actualité marqué. In *"Vocabulaire de la psychanalyse"*, Laplanche et Pontalis, PUF.

J'avais commis plusieurs erreurs : premièrement, mon désir de rendre service et de bien faire m'avait précipitée dans une attitude maternante. Or, cet homme, justement, avait eu une mère épouvantable !

Deuxièmement, il m'avoua que je lui rappelais sa sœur, avec qui il conservait de troublants souvenirs, des souvenirs qui n'avaient jamais été digérés visiblement, d'autant moins qu'il était ancien séminariste !

Ce jour-là, j'ai éprouvé dans ma chair ce qu'est un transfert négatif. Ce fut un enseignement très riche. Cet homme avait fait plusieurs tentatives de psychanalyse, sans succès.

Voici, par contre, l'exemple d'un transfert positif.

Je m'occupais d'un groupe de relaxation dynamique en sophrologie, technique que j'affectionne particulièrement car elle assure une bonne santé physique et psychique. L'une de mes élèves semblait souffrir du ventre. Elle massait avec insistance. Je me suis approchée d'elle, et j'ai posé ma main sur son ventre pour la calmer.

Vingt minutes plus tard, lors de la seconde relaxation allongée, je l'observai, sans me déplacer.

À la fin de la séance, elle raconta qu'elle avait *"vu"* ma main à l'intérieur de son ventre *"comme une main de lumière qui l'apaisait"*. Elle ajouta - sur le ton du reproche - que lorsque j'étais venue la seconde fois je n'avais pas appliqué ma main sur son ventre. Or, je ne m'étais pas déplacée une deuxième fois !

L'enseignement est clair : pour l'occasion, cette femme s'est permis d'investir ma main de "bénéfices"; elle a imaginé (ce qui était un progrès pour elle) ma présence une seconde fois, prouvant par là qu'elle me donnait une place suffisamment positive pour que je puisse l'aider.

Dans ces deux exemples, quelle réalité ai-je, moi, petit égo, par rapport à ce qu'on va projeter sur moi ? Aucune ! On peut dire que d'emblée les jeux sont faits.

Il en est de même pour le magnétiseur : il est "annoncé" par quelqu'un qui a déjà profité de ses soins; la guérison est pour ainsi dire acquise, car son patient y croit.

Le rôle de *"l'annonceur"* est primordial, même en psychothérapie. Il est des gens dont nous savons que les personnes qu'ils nous adressent s'accorderont très bien avec nous.

En revanche, il a été maintes fois vérifié que dans la France profonde, en Afrique ou ailleurs, il suffit qu'un mauvais sort soit annoncé pour qu'il soit immédiatement actif. L'annonce peut être un petit signe placé près de l'habitation de la personne visée. Parfois il peut être précédé du message d'une personne bien intentionnée... Ce signe procède d'une symbolique partagée par le *"j'teux de sort"* et sa victime : il fonctionne là aussi comme un code.[1]

Monsieur Singleton nous donne l'exemple d'un Tanzanien, converti au catholicisme, laïc influent et membre du conseil de sa paroisse, propriétaire de quelques vaches et d'un petit moulin d'arachides, qui se plaignait d'être victime d'*utamaduni* (sort). Il avait trouvé en effet des excréments dans une casserole abandonnée devant sa porte, ainsi que le squelette d'une tête d'oiseau. Cet exemple illustre parfaitement comment le jeteur de sort cherche effrayer à celui qu'il vise.

Dans tout travail de guérison, c'est le patient qui se guérit lui-même à travers son guérisseur. Mais le guérisseur possède une "aura" particulière. N'importe qui peut faire du magnétisme sans être guérisseur, mais son aura dépassera-t-elle les murs de sa maison ?

Une momification involontaire

Tout lien crée un phénomène, même s'il n'est pas conscient. Nous agissons à notre insu sur notre environnement.

Une amie m'en apporta une preuve tangible au cours d'un dîner. Je me sentais très reposée après le repas. Je mis cela sur le compte de la qualité du repas. Mais cela se reproduisit à d'autres occasions, en sa compagnie. Je lui en fis part. Elle prit conscience que son aura était active et comprit alors pourquoi tous les fruits qu'elle conservait chez elle se momifiaient.

Le lendemain, elle m'offrit une corbeille de fruits séchés par elle, à son insu : il y avait là ananas, bananes, raisins secs, pomelos, letchis, citrons... Cette femme est peintre et auteur de trois merveilleux livres ésotériques.[2]

---

1 In Pro Mundi Vita Dossier, *"La sorcellerie en Afrique : qui fait quoi ?"*, février 1980.
2 *"Le livre invisible"*, *"Le soleil d'Om"*, *"Le galop d'Aba"*, Ed. Grancher. Elle n'avait jamais pris conscience de son rayonnement positif.

Le pouce vert

Les mystères de la relation homme-plante sont loin d'être explorés. Nous observons qu'indépendamment du lieu, certaines personnes ont le *"pouce vert"* pour leurs plantes : celles-ci se développent avec beauté et majesté en leur présence. Chez certains sujets les plantations frisent parfois la forêt vierge, alors que d'autres s'évertuent à entretenir un jardin intérieur digne d'un paillasson.

Le "pouce vert" n'a aucun rapport avec les dons de guérison, ou la volonté. Ce phénomène est étrange et inexplicable. *"Celui qui a la main verte ne possède-t-il pas, sans le vouloir, cette ouverture d'esprit particulière qui permet de saisir l'une des grandes lois qui régissent le monde : la relation du un avec le tout, interdépendance à laquelle les plantes ne sauraient se soustraire, et qui, bien souvent nous échappent."* Pour reprendre les mots de Martin Monestier, grand reporter, dont l'enquête sur les plantes ne peut nous laisser indifférent.[1]

Monestier a rencontré de nombreux savants qui ont mis en évidence l'âme des plantes, leurs pensées, leurs besoins, leurs sympathies et leurs antipathies, leurs souffrances, leur mémoire, leur langage ou communication... tout ce qui fait d'elles des êtres proches de nous.

L'histoire des jardins de Findhorn est exemplaire..

Une équipe de pionniers, conduits par des rêves, des intuitions, et une "guidance", a créé un jardin d'un nouveau genre. Nombreux sont les visiteurs qui ont pu constater que les légumes cultivés étaient de taille gigantesque. Aucun engrais chimique n'a été utilisé, les plantes ont profité d'une attention toute particulière.

Voici l'une des guidances qui leur a été transmise : *"Il faut travailler la terre, aimer la terre et sentir qu'elle est vivante entre vos mains. Lorsqu'elle n'est pas vivante, ramenez-la à la vie avec amour et tendresse, avec soin et sensibilité. Tout ceci vous rapproche des choses qui sont réellement importantes dans la vie."*[2]

---

1 *"Sachez parler à vos plantes"*, Martin Monestier, Ed. Sand et Tchou.
2 *"Les jardins de Findhorn"*, opus. cité.

APPRENEZ A PERCEVOIR SI L'AUTRE A BESOIN DE VOUS

Le discernement

"Paix aux hommes de bonne volonté." Je me suis souvent demandé s'il ne s'agissait pas là d'une plaisanterie, car à chaque fois que j'ai voulu appliquer cette parole, j'en ai été pour mes frais !

Je me souviens de cette expérience, à mes débuts. Encore toute ébahie par ce que je découvrais en magnétisme, passionnée par la nouveauté, et impatiente d'aider mon entourage, j'en vins un jour à proposer mon assistance à ma voisine de palier que je voyais boiter. Elle accepta avec plaisir. La séance eut lieu chez elle. Je travaillai sur sa hanche et sur son aine. Tout se passa bien. Mais le lendemain, quand je la croisai et lui demandai des nouvelles, elle m'avoua avec quelques réticences que ma séance lui avait provoqué une crise de foie.

De la hanche au foie, je faisais difficilement le lien. Mais, à la réflexion, la sachant très bigote, je me souvins qu'elle m'avait parlé, la veille, du Christ qui imposait les mains. En bonne Lacanienne que j'étais, je compris qu'en réalité ma voisine avait eu une crise de "foi" !

Les gestes de magnétisme que j'avais faits avait dû l'ébranler dans sa conviction profonde que seul le Christ était habilité à faire "ça".

Cette femme est loin d'être la seule personne à réagir de la sorte. Beaucoup de pratiquants élevés dans la foi du charbonnier - mais ignorant tout des autres traditions - sont rétifs à ce genre de pratique, certains n'hésitant pas à les assimiler à des rituels diaboliques. L'ignorance est mère de tous les fanatismes !

Naïveté, volonté de secourir et désir de bien faire font que le débutant se projette beaucoup, s'identifie à la personne qui souffre... et oublie d'être à l'écoute de la véritable demande. En ce domaine, comme en bien d'autres, la bonne volonté ne suffit pas : elle rend bête.

Ce qu'il faut, c'est savoir être intelligent.

L'identification

Certains de mes élèves ont eu l'occasion de pratiquer le magnétisme avant de me connaître; le plus souvent ils arrivent dans des états de grande fatigue. Ils ont oublié de se protéger.

Selon les tempéraments, nous trouvons des personnes très sensibles qui, telles des éponges, absorbent toute la négativité de l'entourage. Cela fait partie de la vie et il faut s'en accommoder; plus que d'autres peut-être ils doivent mener une existence plus saine, de façon à résister à la fatigue.

Il existe aussi des êtres qui, par culpabilité, se chargent volontairement du mal d'autrui, comme s'ils avaient à expier quelque chose. Lorsqu'ils pratiquent le magnétisme, c'est pour mieux s'identifier à cet autre qui souffre et pour porter toute la misère du monde avec lui !

Non seulement cette attitude est dangereuse mais elle trahit un manque réel de bon sens. C'est, de plus, le signe d'un refoulement de l'agressivité. Ce faisant, ces personnes utilisent leur énergie personnelle au lieu de se laisser traverser avec confiance par l'énergie cosmique.

Ce comportement de culpabilité provient d'une très mauvaise compréhension de la morale : nous nous enfermons dans des principes moraux qui n'ont plus rien à voir avec la morale sacrée. La morale est ce qui reste quand on a tout oublié du sacré. À l'origine de ce comportement on trouve aussi un certain goût pour la souffrance, véhiculé par des représentations religieuses. J'ai été frappée, en visitant Sri Lanka (Ceylan), par l'aspect accueillant et agréable des représentations christiques, alors qu'à nos carrefours, nous avons droit à un Christ en croix.

La ravissante petite église de mon enfance a marqué à jamais mon esprit : j'avais sous mon nez ce pauvre Saint Sébastien supplicié ! Cela dit, son corps était très beau, je dois l'avouer. En haut de la nef, comme dans la plupart des églises, un Christ en croix, sanguinolant, nous donnait une image de la vie que toutes les thérapies du monde auront bien du mal à gommer.

À Ceylan, par contre, la sérénité de Bouddha a *déteint* sur les religions chrétiennes et musulmanes.

Le vampirisme

Le "vampirisme" est une attitude psychologique de dépendance et d'irresponsabilité. Là aussi, nous pouvons reconnaître certains tempéraments innés (il peut s'agir d'une faiblesse de caractère ou d'un être qui a été trop protégé, pris en charge, couvé).

Ces personnes s'appuient toujours sur quelqu'un d'autre, elles ne sont pas autonomes. Ce sont des puits sans fond : plus on leur donne, moins elles sont satisfaites. Elles peuvent ainsi pomper l'énergie de quelqu'un jusqu'à ce que ce dernier se trouve à plat, et ait besoin de son aide. C'est alors que peut apparaître un autre personnage...

On trouve une autre sorte de vampirisme dans la mythologie comme Méduse, la Gorgone, ou l'Hydre de Lerne, qui est un vampirisme actif, généralement accompagné de volonté de puissance. La plupart du temps le processus échappe à la victime... comme au sujet lui-même !

En magnétisme, il faut savoir se garder de soigner de grandes dépressions, car nous avons là ce qui se fait de mieux en matière de vampirisme. Le grand dépressif - tel que le mélancolique - ne sera jamais suffisamment rechargé par une séance; ou plus exactement, il repartira peut-être un peu mieux (il ne le dira pas), mais il faudra recommencer le lendemain. Il ne profitera pas de la cure de façon exponentielle car il ne dispose pas des structures psychologiques qui lui permettraient de faire fructifier ce qu'il a reçu, même sur le plan relationnel. Cette dépression, très grave, doit être accompagnée sur le plan psychiatrique. Ce grand malade réussit même à saper le moral de ceux qui l'aident.

Certaines dépressions sont saines, comme celles qui surviennent après un deuil. Un travail de détachement est nécessaire, pour lequel le temps est le meilleur allié.

D'autres dépressions - il y en aura malheureusement de plus en plus dans notre civilisation moderne - sont dues à un environnement pollué ainsi qu'au stress. Le sujet ne peut plus recharger son corps éthérique.

Le bruit, la pollution de l'air, la perte de contact avec le sol (les tours de la Défense !), les contraintes de la société (si l'on en croit une étude récente, beaucoup de dépressions chez les adolescents sont attribuables au fait que l'on exige trop d'eux et qu'ils ne se sentent plus à la hauteur), l'absence de relations détendues avec le groupe social, le manque de possibilités de catharsis (fêtes, carnaval, danse, musique, chant...), font que la décharge des énergies négatives ne peut plus s'effectuer. Pas plus que la recharge en énergie positive. Ce type de dépression peut être pris en charge par un magnétiseur; la chaleur de son contact, son attention, ses soins et ses conseils auront raison de la maladie.

Certaines dépressions sont le résultat d'une éducation très contraignante qui a entraîné la formation d'une instance. Ce "censeur", pour reprendre le terme de Sri Aurobindo, est à l'affût du moindre faux pas pour faire entendre son reproche intérieur. La personne est devenue trop exigeante avec elle-même; elle a refoulé tous ses élans profonds. Ce type de dépression réclame une psychothérapie (à condition que le surmoi de l'idéologie psychologisante ne remplace pas le surmoi du sujet) mais rien n'empêche le magnétiseur d'intervenir également.

En résumé, la prise en charge d'une personne dépressive en magnétisme demande une certaine vigilance.

Nul n'est prophète en son pays

Ce proverbe se vérifie souvent dans le milieu familial et amical du magnétiseur. Jésus, hélas, savait de quoi il parlait !

En acceptant de se faire aider par le magnétiseur, le malade craint de perdre son pouvoir, tel un père, une mère, un époux, une épouse, un adolescent - qui ne veut pas croire à ces fadaises parce qu'il sort à peine de ses contes de fées -, un frère, ou une sœur rival, il est des familles où les rapports se gèrent avant tout sur ce mode du pouvoir.

Toute rivalité consciente ou inconsciente empêche de prêter au magnétiseur le don de guérir : n'oublions jamais que derrière toute guérison, il y a un acte de foi !

Certains hommes ont des difficultés à intégrer ce que Jung appelle l'Anima, c'est-à-dire leur composante féminine; ils ne voudront pas non plus laisser à un autre le pouvoir de les aider. Il leur faut quelqu'un de titré, bardé de diplômes, ou armé - pour les femmes - d'une superbe et menaçante seringue !

Il m'est arrivé, à mes débuts, de proposer à un ami "macho" un petit coup de main pour son mal de dos. Je ne pense pas l'avoir soulagé; par contre, je me souviens qu'il avait perçu ma main, pourtant restée à distance, comme un doigt menaçant l'intégrité de son arrière-train. En d'autre termes, il craignait ce que tout Grec ancien souhaitait. Là encore, le discernement préserve l'apprenti-sorcier de toute surprise. Néanmoins, entre gens de connaissance, ce type d'aventure est plutôt amusant et riche d'enseignements.

Ceci s'explique par le fait que beaucoup d'hommes ont peur du pouvoir des femmes quand celui-ci ne se cantonne pas aux fonctions traditionnelles.

Comment savoir si l'autre a besoin de moi ?

• 1. En restant à l'écoute (une écoute subtile) sans imposer ses désirs, mais en sachant détecter les besoins de l'autre;

• 2. En ayant beaucoup de discernement et de psychologie;

• 3. Et surtout, en restant attentif à ce que notre corps nous dit. Lorsque nous avons envie de donner, nos mains sont chaudes et nous nous sentons en pleine forme.

LA MOTIVATION

La motivation a-t-elle une importance ?

Voici une question bien française, qu'un Américain n'aurait même pas l'idée de se poser !

La circonspection française s'oppose souvent à la naïveté américaine, pour laquelle j'ai quelque tendresse, mais la question appelle une réponse.

Nous avons tous la possibilité de nous aider par le magnétisme, dès lors qu'il s'agit de problèmes bénins, car nous dégageons tous du magnétisme. De là à en faire profession, c'est une autre histoire. Je serais plutôt tentée de le déconseiller, car ce travail peut être très fatigant, voire dangereux.

Les personnes qui sont appelées à guérir en sont averties, soit par des expériences de souffrance ou de maladies graves dont elles ont pu sortir par une aide "surnaturelle", soit par des rêves ou des signes. En général, ces élus renâclent à la tâche. Mais cette "motivation" insiste au point qu'ils ne peuvent échapper bien longtemps à ce qu'ils "doivent" faire, et surtout à tous ceux qui les poursuivent et les harcèlent en espérant une intervention de leur part !

Nous disions précédemment que *"derrière toute guérison il y a un acte de foi"* ; or celle-ci exige une réelle éthique personnelle. Il est fortement déconseillé de pratiquer le magnétisme par désir de puissance, pour acquérir du pouvoir sur les autres, par compensation d'une vie un peu terne et sans mystère, ou encore par un désir de réparation motivé par la culpabilité.

Le pouvoir appartient-il à Dieu ou à Satan ?

Certaines personnes ont reçu des pouvoirs par une initiation. Si l'initiation confère des pouvoirs, elle ne sanctifie pas pour autant, et nombreux sont les "magnétiseurs" qui abusent leurs clients.

Ils ont développé une aura magnétique importante par leur contact avec le monde de l'astral; cette aura fascine, hypnotise, trompe des hommes et des femmes en quête de vérités. Sans doute est-ce l'une des raisons pour lesquelles l'Eglise a si souvent condamné ces pratiques, alors qu'elle-même a eu et a encore en son sein de grands guérisseurs, à commencer par le Christ.

Les Pouvoirs sont une chose, leur utilisation en est une autre... qu'il convient de ne pas confondre !

Citons à ce propos, l'histoire que *"Mère"*, la disciple de Shri Aurobindo, raconte dans *"L'Agenda 1951-1960"*[1]

Elle a vent de plusieurs disparitions (en Inde, près de Bombay) qui se passent toutes de façon étrange. On "localise" ces disparitions dans une gare. Rien ne permet de constater des brutalités ou de conclure à l'enlèvement : les hommes en question donnent l'impression de s'être évaporés dans la nature, de leur plein gré. Rien, dans leur comportement, ne laissait présager une telle disparition.

---

1 *"L'Agenda de Mère 1951-1960"*, Institut de Recherches Evolutives, Paris 1978.

L'un d'eux est retrouvé en état hypnotique, dans un train. À son réveil il se demande ce qu'il fait là, car il n'a jamais eu l'intention de voyager.

Quelques jours plus tard, il disparaît à nouveau, ainsi qu'un de ses amis. Mère propose aux enquêteurs de les aider grâce à ses pouvoirs médiumniques; elle sent bientôt qu'elle doit lutter contre une entité diabolique qui ne veut pas se laisser faire. Son travail de concentration lui demande énormément de force. Elle doit surtout se garder des pouvoirs malins de cette entité.

Mère raconte : *"... il (le jeune homme enlevé) est passé devant la gare et est entré pour boire quelque chose. Pendant qu'il buvait, deux individus qui se trouvaient là se sont mis à jouer avec des boules devant lui. Il a REGARDE. Et soudain il s'est senti tout à fait mal à l'aise : il a voulu s'en aller et il a couru vers une sortie... c'était fermé, il n'a pas pu sortir. Et ces deux individus étaient là, derrière lui. Tout d'un coup il a perdu connaissance : "je ne sais plus ce qui m'est arrivé..." Ils lui ont donné des coups de poing dans le ventre et mis un mouchoir sur le nez..."*

La famille écrit à Mère : *"Quels sont ces démons qui ont un pouvoir si grand que cela résiste au pouvoir de Mère et de X., et qui gardent notre fils ?"*

Mère poursuit : *"Alors je suis rentrée dans une profonde concentration et j'ai vu qu'en effet il y avait là un pouvoir rákshasique très puissant et dangereux."*

Mère a des visualisations pendant qu'elle livre ce combat de titans entre ses forces de lumière et les forces noires de cette entité, qui ne sont pas sans nous rappeler le célèbre combat entre Merlin et Morgane. Elle en tombe même malade. Elle a la sensation qu'une *"vague noire"* s'est répandue sur l'Ashram; l'un des disciples, médium et peintre talentueux dessine un personnage étrange qui n'est pas vraiment très sympathique. Il faudra bien du temps avant que les choses se clarifient.

Cette sensation de "vague noire", nous l'avons peut-être rencontrée nous aussi, ou sentie. Les occultistes appelle cela *"force du bas astral"*. Elle est liée aux instincts bas et pervers, à tout ce qui a rapport avec l'utilisation du pouvoir sur autrui à des fins égoïstes.

---

1 Les *rakshas* sont des démons d'un plan vital inférieur.

Le pouvoir est une technique qui s'apprend; mais ce sont le cœur et la conscience qui guident nos actes.

Devez-vous faire payer un acte de magnétisme ?

Certains magnétiseurs disent qu'il ne faut pas avoir de rapport d'argent quand on fait de la guérison.

Nous savons qu'il y a plusieurs niveaux de guérison. Ce qui guide le guérisseur vers son malade est une force de compassion. Mais il faut bien que le guérisseur vive s'il veut aider son prochain. Supposons qu'il doive passer sa journée à travailler à la chaîne, ou aux champs, que lui restera-t-il comme énergie pour prodiguer des soins ?

Tout est affaire de gestion personnelle entre soi et soi-même. Ce n'est pas une question de morale. Imaginons que le guérisseur propose un prix fixe assez élevé : il devra prouver sa compétence et obtenir des résultats. Le seul fait de se sentir tenu de réussir peut bloquer ses mécanismes intérieurs et il risque de ne plus se sentir relié à ses forces-ressources.

Il se peut que le malade dise "vouloir guérir", et qu'en fait, il ne fasse aucun effort pour cela : le guérisseur dépensera son énergie pour rien.

Certaines guérisons ne peuvent s'opérer que si le malade investit lui-même beaucoup dans son effort. C'est le principe de la psychanalyse : il faut savoir donner pour recevoir.

Le guérisseur peut aussi demander à son patient de donner ce qu'il estime juste, en argent ou en nature. L'argent en effet n'est pas une valeur, mais une énergie - et toute énergie s'échange !

Pour d'autres enfin, la guérison est une question de savoir-faire technique. Selon cette conception, la séance perd de cette aura mystérieuse et un peu inquiétante que certains cultivent à plaisir.

Nous connaissons un groupe, initié à l'origine par un Maître appelé Dasira Narada, qui enseigne et soulage sans demander d'argent[1]. La transmission de cet enseignement est récente; l'équilibre psychologique est indispensable pour recevoir cette initiation qui agit fortement sur les niveaux vibratoires. En ces temps où la conscience planétaire doit aller plus vite, il nous semble que ce mouvement est juste, qu'il faut le féliciter et

---

1 Siège Social au 22 rue de la Folie Méricourt, 75011 Paris.

encourager ses membres, car ils transmettent une véritable initiation grâce à leur technique.

D'autres guérisseurs encore demandent une somme de trois mille francs pour une simple matinée, durant laquelle ils enseignent un mantra à chaque participant. On imagine aisément que celui ou celle qui paie cette somme et ne guérit pas doit se sentir "refait". D'où l'absolue nécessité de guérir !

Là comme ailleurs, à chacun de suivre ses propres lois psychologiques. Celui qui opère en demandant de l'argent pose comme postulat que tout est échange; il se place donc sur les niveaux psychiques, où les forces s'imbriquent avec les lois de compensation.

Celui qui procède sans demander d'échange fait appel, quant à lui, à des "niveaux" où l'énergie est inépuisable; les lois de compensation sont inopérantes (ou en tout cas la représentation qu'il s'en fait). Mais il ne doit pas non plus être naïf et utiliser toute sa force vitale en pensant qu'elle est de source divine !

On a coutume de dire que chaque guérisseur a :
- son niveau d'intervention;
- ses propres règles qui lui permettent de fonctionner avec sa conscience;
- les clients qu'il mérite.

Il n'existe pas de vérité unique en ce domaine. Il faut donc se garder de toute morale, de tout jugement et de toute crédulité.

LA MALADIE

Pouvez-vous intervenir sur un symptôme ?

Il y a des symptômes utiles et des symptômes inutiles.
Le symptôme est :
- utile, si l'édifice psychologique risque de s'écrouler quand on touche au symptôme.
- inutile, s'il n'est plus relié à une fonction de défense.

Un symptôme est un mode de communication. Très signifiant, il "parle" à sa manière; dans bien des cas, on peut le considérer comme une véritable clef de voûte, même si ce n'est pas toujours une très belle pierre.

Il faut donc savoir interpréter un symptôme.

Actuellement, la difficulté pour le praticien réside dans le fait que sa formation et la demande de ses patients ne lui permettent plus de prendre le temps nécessaire pour écouter le symptôme et le décrypter.

Autrefois, le médecin de famille le faisait intuitivement, grâce à sa connaissance du milieu socio-psychologique. Il connaissait les données nécessaires; il savait d'emblée si un symptôme était en correspondance avec le mode de vie du malade. Il pouvait donc prévoir les conséquences de son action. Il savait "marchander" avec lui.

De nos jours, le médecin généraliste se sent tenu de guérir tout de suite le symptôme, faute de quoi il court le risque de perdre sa clientèle (souvent mal informée...). Considéré comme un O.S. de la société - sous-payé la plupart du temps -, il est contraint de voir beaucoup de patients en peu de temps... simplement pour survivre !

En psychothérapie également, nous sommes confrontés à des patients qui ne disposent d'aucune information structurée, qui pensent que les problèmes qu'ils "cultivent" depuis trente ans peuvent disparaître - comme par enchantement - en cinq séances.

La toute première intervention du magnétiseur consiste à identifier le symptôme (avec l'aide du médecin et du psy s'il ne l'est pas lui-même). Il lui faut comprendre son sens et son utilité dans la gestion actuelle du malade. La plupart du temps, cette opération s'effectue intuitivement.

Le magnétiseur sait que le symptôme reviendra si son action n'est pas accompagnée d'une évolution de conscience chez le malade. C'est malheureusement parfois le cas, car peu de gens supportent de travailler sur leur conscience : cela entraîne souvent de profonds bouleversements.

L'utilité du symptôme

Le bon guérisseur devra d'abord s'assurer que le malade accepte en toute conscience de "lâcher" son symptôme. Les chamans ont très bien compris cet aspect de la psyché : ils proposent un temps de méditation pendant lequel le patient réfléchit aux inconvénients qu'il y aurait *"à ne plus avoir son symptôme."*

La plupart des symptômes en effet, ont des *"bénéfices secondaires"*. Ils procurent, autrement dit, des avantages psychologiques souvent inconscients. Certaines familles sont ainsi organisées autour du symptôme de l'un de leurs membres : un enfant asthmatique peut obliger tous ses frères et sœurs à ne pas faire de jeux qui risqueraient de soulever de la poussière ; telle mère maintient la famille entière sous la terreur car, à chaque contrariété, elle a une crise de spasmophilie...

Le symptôme est donc l'occasion d'avoir un pouvoir sur l'entourage. On peut le considérer comme une forme de chantage.

Le langage du symptôme

Nous avons observé que le corps servait de tampon entre les injonctions du monde extérieur et l'ajustement intime de l'être à ces impératifs.

L'univers externe n'étant jamais parfait, chaque organisme a sa propre soupape - c'est, entre autres, l'une des fonctions du rêve nocturne - mais certaines personnes n'ont plus accès à leur monde imaginaire. C'est alors l'organe le plus fragile du corps physique - cela dépend souvent du tempérament, ainsi que l'ont montré les astrologues - qui se charge de se manifester par un symptôme fonctionnel, peu grave en général. Il est important de conserver cette soupape, de se permettre une petite maladie de temps en temps. Les enfants gèrent ainsi leur adaptation au monde extérieur : avoir une maladie infantile, c'est aussi une manière de dire *"pouce"*.

Il est des symptômes plus graves, plus invalidants mais utiles : ils préservent d'une maladie psychique. Le corps se dit en secret quelque chose que le conscient ne saura point : un lumbago ou une sciatique, par exemple peuvent être l'expression d'un désir sexuel qui ne trouve pas sa réalisation, parce qu'il n'est pas accepté par le psychisme.

Parfois, le symptôme est le signe qu'une maladie grave est déjà "en marche". Dans ce cas, faire appel uniquement au magnétisme peut priver la personne d'une intervention médicale qui la sauverait. N'oublions pas que la douleur, quand elle n'est pas chronique, est le message que le corps envoie au cerveau pour sa sauvegarde.

Prenons l'exemple d'un mal de ventre aigu et subit : si nous intervenons en magnétisme, nous soulagerons effectivement la personne, mais la maladie qui couve derrière et qui peut être une appendicite, voire une septicémie, restera présente... Or, la personne ne sentira plus son "signe avertisseur" ! Le patient ne consultera donc pas son médecin, ce qui peut lui être fatal.

En résumé, nous pouvons dire que le magnétisme soulage les maladies fonctionnelles.

Bon nombre de magnétiseurs sentent, intuitivement, qu'un symptôme ne cédera pas. Ils refusent parfois de recevoir la personne.

D'autres encore pensent que certaines maladies font partie des maladies karmiques, lesquelles ont une chance d'évoluer.

Devez-vous intervenir sur le destin de quelqu'un ?

Il peut paraître troublant de poser une telle question, surtout quand on sait toutes les souffrances qui existent de par le monde.

Il existait jadis une coutume chinoise selon laquelle vous étiez responsable à vie de la personne que vous aviez sauvée de la mort. Etrange sagesse, qui en faisait réfléchir plus d'un. Lorsque vous sauviez quelqu'un de la noyade, vous interveniez dans le cours de son destin; la suite des événements de cette vie-là vous incombait donc : vous aviez la charge de cet individu pendant tout le reste de sa vie !

Cette coutume nous donne à penser que nous intervenons dans le jeu des forces cosmiques lorsque nous guérissons un être. Ce personnage, qui était en train de se noyer, avait peut-être, par sa responsabilité, causé lui-même cet événement; il était peut-être l'un des pions sur le grand échiquier terrestre, sa mort devant rétablir un équilibre dont les lois échappent à la compréhension humaine.

Toute personne qui se situe dans une *"relation d'aide"* est prise entre son élan pour donner, sa "compassion", et la conscience de sa responsabilité. Elle a beau savoir qu'elle ne guérit pas, que c'est en réalité le patient qui se guérit lui-même à travers elle, elle ne peut s'empêcher de frissonner à l'idée du fardeau qu'elle est amenée à supporter avec son patient en jouant le rôle de *"passeur"*.

Il est essentiel de garder à l'esprit que le processus de guérison se fait *"à travers"* le thérapeute. *"Cela se fait"*. Non pas que le thérapeute - ou le guérisseur - soit un demi-dieu, mais parce qu'il a su porter (nous pourrions à nouveau faire ce jeu de mot : *"su-porter"*) la foi placée en lui : il a appris l'art de gérer cette fonction.

Pour bien montrer que *"ça"* se passe, référons-nous à la guérison du Christ, que nous évoquions au tout début. Beaucoup de Saints ou de guérisseurs ont eu cette surprise de constater que *"ça"* guérissait autour d'eux, ce qui leur fait dire que c'est Dieu qui opère par leur canal.

La fonction de *"canal"*, chaque thérapeute, chaque guérisseur la connaît. Il *"se prête"* pour que quelque chose se passe, mais il ne doit pas s'investir sur le plan personnel, au niveau de son égo. Il ne s'agit pas de morale (car ce cher petit égo a aussi son utilité) mais plutôt de prudence ! Se sentir pour quelque chose dans la souffrance de quelqu'un est un poids bien lourd à porter.

Il est donc conseillé de ne pas s'identifier à l'autre dans sa souffrance. Il est inutile de plonger à deux.

Etre *"canal"* ne signifie pas être l'élu des forces divines, comme le soutient une naïveté un peu trop répandue. Etre "canal", c'est laisser opérer les forces de l'inconscient, dont il faut bien admettre que nous ne connaisons pas les limites. Freud a beaucoup parlé des "poubelles de l'inconscient", mais celui-ci a aussi ses joyaux. Les contes en sont truffés.

Aucun symptôme ne disparaît sans évolution de la conscience

Un symptôme est une pierre dans une voûte. Il maintient un équilibre. Supposons que nous descellions la clef de voûte d'une belle arche : elle ne tarderait pas à nous retomber sur le nez. En revanche, si nous proposions de la remplacer par une pierre plus jolie, chacun serait gagnant.

Un symptôme peut mettre des années à se former. Il se manifeste d'abord dans les zones psychiques de l'homme, ce que l'on appelle les "autres corps". Burr détectait, à l'aide de son appareil, des cancers non actualisés dans le corps, mais que l'aura contenait déjà. Je rappelle que les expériences de Burr étaient scientifiquement reconnues.

Les traditions parlent généralement de sept corps. Peu nous importe le nombre (tout dépend des critères de distinction) mais il est sûr que selon les symptômes l'origine provient de l'un des ces corps.

Ces corps nous sont familiers : physiques, éthériques, psychiques, et mentals supérieurs (ou causals). Plus nous nous éloignons du corps physique, plus les corps sont subtils et connectés aux autres consciences. Ils n'appartiennent plus à l'espace/temps traditionnel; on peut supposer qu'ils sont porteurs de mémoires, mémoires de "vies antérieures" - et pourquoi pas de vies postérieures -, ou mémoires d'autres êtres : ce que les chrétiens appellent la Communion des Saints.

Nous voilà donc tous interdépendants, tous sur le même bateau, tous responsables les uns des autres. Nous sommes les petits maillons d'une grande chaîne et pouvons bénéficier du bien, comme *"maléficier"* du mal. Souvenons-nous de Claire qui prenait en charge la "tache" de sa grand-mère.

Ainsi certaines maladies ne seraient pas le résultat d'un problème de l'inconscient personnel, mais l'héritage malheureux d'une imposante mécanique, où les différentes pièces s'agencent les unes par rapport aux autres. On pourrait dire que cette maladie dépend du corps spirituel de l'humanité.

On conçoit, dès lors, qu'une guérison à ce niveau puisse être très difficile. Seuls les Dieux sacrifiés étaient capables de changer le niveau de conscience d'une humanité, mais est-il bien nécessaire de mourir si cruellement ? Bouddha s'y est pris différemment.

En revanche, un symptôme qui appartient à la sphère affective - le corps astral - peut très bien être soigné, *"nettoyé"* pourrions-nous dire, par une prise de conscience qui permet à la personne de rajuster son fonctionnement. C'est ce que l'on appelle les maladies psychosomatiques.

A l'inverse, nous avons la maladie qui provient du corps physique : un accident par exemple qui engendre une paralysie. La sphère affective risque à son tour d'être touchée; parfois on voit naître des mécanismes pervers, car l'être est touché dans l'expression de sa puissance.

A chaque symptôme son sens, mais il faut bien l'admettre : on ne le comprend pas à tous les coups. Quoi qu'il en soit, ce peut être l'occasion d'un travail sur la conscience, d'un enrichissement. Ce peut être aussi l'occasion de guérir.

Le magnétiseur connaît ces secrets. Il sait qu'il accompagne son malade simultanément sur plusieurs plans.

Les maladies qui peuvent être traitées par le magnétisme

Nous avons vu que le magnétisme *"animal"* agit normalement dans le sens de l'évolution naturelle, de la reconstitution des tissus atteints et de la réénergétisation, car il fournit une énergie supplémentaire qui permet aux tissus de mieux se défendre.

Cette action, associée à celle d'un psychisme positif, donne à l'organisme de meilleures chances pour lutter en vue de la guérison. Cependant, soyons clair : si l'esprit peut faire beaucoup pour atteindre la guérison... il ne supprimera pas pour autant la mort sur notre planète !

Ceci doit naturellemenrt nous inciter à la prudence. Certaines maladies sont trop "incrustées" dans le corps pour qu'un simple apport d'énergie, fût-il très important, puisse transformer la matière. Si cette énergie y parvient, nous avons affaire à ce que l'on nomme des "miracles", qui font appel à d'autres niveaux de conscience.

Tout porte à croire que nous réussirons de plus en plus à comprendre les mécanismes de la maladie et de la guérison. En attendant, les humains auront encore besoin de "poubelles" où verser ce qu'ils ne peuvent spiritualiser.

De fait, toutes les maladies fonctionnelles relèvent du magnétisme. Tout ce qui est chocs, plaies, brûlures, douleurs, hémorragies, maux de tête...

En partant du principe que le magnétisme apporte un surcroît d'énergie, toute affection susceptible d'inverser son processus sera soignée par le magnétisme.

Un guérisseur "saint" saura aussi toucher les âmes et provoquer une guérison sur le plan du corps spirituel, pour peu que la matière n'ait pas encore achevé son évolution.

Le miracle existe, le vrai miracle j'entends, mais il ne faut pas trop compter dessus. Il faut au contraire réveiller chez le malade toutes ses énergies de vie et de guérison, et bien sûr l'accompagner.

Il est aussi fondamental d'accepter la mort. La mort n'est pas forcément un échec.

En conclusion, il est très important de connaître le magnétisme et les limites du magnétisme. S'il on doit donner un conseil, disons qu'il est préférable de commencer par la médecine classique, avant de recourir aux techniques du magnétisme.

CHAPITRE XI

PASSEZ À LA PRATIQUE

Nous voici maintenant au fait de ce que nous mettons en jeu dans l'exercice du magnétisme.

Nous pouvons à présent creuser l'aspect pratique et faire de cette pratique un outil qui peut nous aider dans le quotidien.

C'est ainsi que je suis maintes fois intervenue, dans ma famille, pour des cas de brûlures, plaies, bosses et bleus, maux de tête, lumbagos, stress, fatigue et nervosité... Vous pouvez le faire aussi.

Repérez le point névralgique

Dans les cas où l'origine du problème n'est pas clairement identifiée (pensons aux enfants et aux animaux qui ne peuvent parler), nous passons les mains à quelques centimètres du corps du patient, lentement, pour explorer l'aura et sentir sur nos paumes les effets de *chaleur,* de *vibration* ou de *froid.*

- L'effet de chaleur témoigne d'une zone inflammée. L'intensité calorifique est proportionnelle à celle de l'inflammation. Cette dernière et la douleur ont un rôle protecteur : elles signalent l'existence d'un *"problème"* qu'il faudra interroger. Il est prudent, si nous n'en connaissons pas l'origine, de ne pas intervenir avant de consulter un médecin; nous l'avons vu, un symptôme a ses raisons.
- L'effet de vibration révèle une zone d'activité. La qualité de la vibration est à la mesure de l'aspect normal ou anormal de l'activité : si nous passons au-dessus d'un estomac en pleine digestion, la vibration ne nous fera pas le même effet que si nous effleurons un cancer.

Le cancer envoie une vibration très épaisse, pesante et intense, qui fatigue vite; l'estomac en digestion est comme une usine (non polluante !) en pleine activité.

Il en va de même pour les centres énergétiques : lorsque

nous passons la main le long de la colonne de lumière, nous sentons, à intervalles réguliers, des émanations de chaleur, preuve de l'activité des chakras.

En revanche, lorsque l'inflammation est forte, nous percevons dans nos mains comme une démangeaison.

• L'effet de froid traduit au contraire l'arrêt d'une activité : l'énergie ne passe plus à cet endroit; il n'y a aucune douleur. Nous rencontrons par exemple cette sensation au-dessus d'anciennes cicatrices ou fractures.

Si nous *"lisons"* ce froid à certains endroits, lorsque nous passons les mains sur les limites de l'aura astrale (deuxième enveloppe), nous devrons veiller à demander un diagnostic médical : une maladie peut être en cours d'évolution, de façon sourde, insidieuse..

Ces petits signes s'apprennent. L'intuition, les images, les sensations dans notre corps prendront rapidement le relais de nos mains. Notre propre corps nous signale directement, en miroir, ce que vit le corps de notre patient.

Nous pouvons également ressentir des vertiges, une sensation de mal être, des nausées, l'impression de ne plus "être bien" à l'intérieur de notre corps : autant de symptômes qui indiquent des troubles psychiques. Cela se traduit généralement par le sentiment de ne pas *"être bien"* à l'intérieur de ses enveloppes.

J'ai vécu avec intensité cette expérience, pour la première fois, le jour où j'ai chaussé par inadvertance des chaussures qui ne m'appartenaient pas. Elles étaient du même modèle que les miennes, mais je me sentis terriblement mal à l'aise en marchant et en vivant *"dans"* ces chaussures. Je ne comprenais pas ce qui se passait. Les expressions *"être mal dans ses pompes"* ou *"à côté de ses pompes"* ont pris soudain toute leur signification, car les chaussures que j'avais empruntées appartenaient à une personne très névrosée.

Nettoyez

La deuxième opération importante consiste à procéder au nettoyage de l'aura.

La personne doit être debout devant vous (si ce n'est pas

possible vous exécuterez le même exercice avec la personne allongée). Vous balayez son aura de haut en bas, devant, derrière, à droite, à gauche, jusqu'au sol, par de longues et rapides passes longitudinales. Je recommande toujours la rapidité et le renvoi à la terre pour ne pas provoquer de stases d'énergie négative, qui resteraient comme un kyste le long de l'aura.

Il arrive fréquemment que nous sentions dans l'aura une épaisseur qui résiste à ce premier balayage, tel un "petit nuage négatif" qui resterait accroché à un endroit du corps; dans ce cas, il suffit de procéder exactement comme lorsque nous donnons un coup de balai à l'intérieur de notre maison : vous repasserez sur le même endroit jusqu'à ce que sa fluidité soit rétablie.

Magnétisez

À DISTANCE

Après avoir repéré le point névralgique, et accompli le premier nettoyage, vous pouvez commencer à magnétiser.

Mettez les mains à une dizaine de centimètres de la zone à soigner.

Imaginez que vous prenez l'énergie du soleil et que vous la renvoyez, à travers vos mains, sur ce point précis.

Vous visualisez alors des rayons de lumière qui jaillissent de vos mains (paumes ou doigts, comme vous le sentez) et qui pénétrent la zone en souffrance.

Progressivement, votre énergie augmente; vous sentez une chaleur intense et des picotements dans vos mains.

Vous sentirez vous-même à un moment donné, que vous devez arrêter.

Le patient ressent, lui aussi, un effet de chaleur, une démangeaison s'il s'agit d'une plaie, une certaine sérénité... ou peut-être les trois à la fois.

Travailler sur une cicatrisation permet d'aspirer les liquides vers la surface, et de les sécher immédiatement. Le processus est accéléré. Un enfant peut donc le ressentir d'une façon douloureuse au départ.

Cependant, il importe parfois de ne pas trop accélérer une cicatrisation.

Enfin, autre recommandation : n'oubliez pas de vous recharger... et de ne pas vous vider de vos propres énergies.

EN TOUCHANT

Nous pouvons procéder aux mêmes opérations en laissant cette fois la main en contact avec le corps. Dans le cas d'un problème de foie ou d'intestin, cette façon de faire peut compléter la première approche : le tout est affaire d'intuition.

LA NUQUE

Voilà une approche que j'affectionne tout particulièrement. Elle consiste à faire confiance à notre corps imaginaire (corps inconscient) dans sa rencontre avec le corps imaginaire de l'autre, à les laisser régler la question seuls, sans intervention de la volonté consciente, car il semble bien que nos inconscients soient plus intelligents que nous.

Nous laissons les énergies s'équilibrer au niveau du contact des corps, en veillant à ce que la conscience ne vienne pas réinvestir le mental. Pour être plus clairs, prenons l'exemple d'une pratique que j'enseigne à mes élèves.

Exercice

Nous nous asseyons confortablement, adossés, la colonne vertébrale bien droite. Le confort doit être total pour qu'à aucun moment nous n'éprouvions de fatigue.

Nous établissons ensuite notre protection énergétique, selon nos conventions, (vous pouvez aussi, pour cela, vous reporter au paragraphe sur la protection et le nettoyage, chapitre III).

Notre patient est allongé devant nous et nous recevons sa nuque dans le creux de nos mains qui sont placées en berceau. Nos pouces se retrouvent ainsi juste au-dessus des oreilles, nos majeurs, index et annulaires le long de sa nuque.

Nous n'avons rien d'autre à faire qu'à placer toute notre conscience dans nos mains. Nos mains deviennent ainsi de gigantesques antennes à percevoir les "ondes".

Si notre conscience remonte dans notre mental, nous perdons cette perception extraordinaire qui est la nôtre lorsque nous nous plaçons dans cet état de conscience.

Nous ne faisons rien d'autre qu'être là... dans nos mains. Nous n'agissons pas avec notre volonté - qui est souvent volonté de puissance ! - mais nous laissons agir nos corps d'énergie ou corps imaginaires. Ceci, pendant près de vingt minutes.

---

1 Une recherche sur ce travail, faite par l'auteur, a été publiée dans les "Cahiers du Lierre et du Coudrier", n°11 *"Les thérapeutes aux mains nues"*, sous le titre *"L'Aveugle et la Paralytique"*.

D'expérience, j'ai observé quatre phases :

• un premier temps, où toute l'énergie négative (stress, angoisse, fatigue) semble s'accentuer. Les mains peuvent devenir douloureuses. Il importe d'être bien protégé pour ne pas prendre sur soi cette manifestation. La protection par le bouclier devant la gorge est efficace; une santé et un psychisme solides le sont aussi. Nous attendons ainsi que cette expression du corps se résolve d'elle-même.

• Suit une deuxième phase, plus sereine. Des douleurs plus spécifiques apparaissent : nos mains captent des vibrations plus fines, plus localisées, qui correspondent à des dysfonctionnements plus précis.

Les pensées, chargées d'émotions négatives, peuvent se manifester par toute une gamme de sensations subtiles. Quand nous interrogerons la personne un peu plus tard, elle nous rapportera en effet l'évocation de soucis ou de souvenirs pénibles.

Je me souviens d'avoir pratiqué cette technique avec un homme à qui je faisais faire en même temps une "régression dans l'enfance". Lorsque j'évoquai ses huit ans, il y eut une très intense décharge d'énergie négative. J'eus dans le même temps la vision très nette de lui, enfant, la tête renversée en arrière et je pouvais lire, sur son visage, l'expression d'une franche panique.

Plus tard, lors de la synthèse, je lui suggérai de chercher ce qui s'était passé à cet âge-là. Il lui revint alors en mémoire la scène de l'ablation de ses amygdales, qu'il avait complètement refoulée et qui avait été pourtant déterminante dans sa dynamique pulsionnelle.

• Vient ensuite la troisième phase, durant laquelle s'établit un nouvel équilibre énergétique. C'est le moment d'observer les mouvements du crâne. Le crâne donne l'impression de s'étirer dans tous les sens, de s'ouvrir, de s'agrandir, de se ramollir, parfois de redevenir dur comme un caillou pour à nouveau prendre ses aises.

Cette étrange valse, c'est notre corps imaginaire en contact avec le corps imaginaire de l'autre qui l'autorise. Il est bien entendu que le crâne bouge, respire, mais pas autant que nous le percevons quand nous sommes dans cet état de réceptivité. Notre simple présence attentive à ce subtil phénomène permet qu'il se produise : nous ne le provoquons pas, nous permettons que "quelque chose se passe" au niveau du corps imaginaire de l'autre, qui va l'aider à se guérir lui-même, parce que son inconscient sait ce qu'il y a de mieux pour lui.

Etre présent, dans cet état de conscience : voilà tout ce qu'il faut faire. Ce sont les corps imaginaires (plus intelligents que nous parce qu'ils sont reliés à l'inconscient) qui arrangent eux-mêmes la guérison optimale.

Ce passage par le corps imaginaire constitue à mon sens le "pont secret" entre la psychanalyse et l'énergétique. Les psychanalystes nomment prudemment "inconscient" tous les phénomènes étranges qu'ils ne comprennent pas dès lors qu'ils ne les ont pas vécus; ils sont généralement classés dans la case "délire". Or, ce pont secret... c'est dans le corps qu'il se trouve ! Il faut descendre de la parole au corps, pour ensuite remonter du corps à la parole, via l'imaginaire. Toutes les traditions le confirment, qui parlent du corps comme du TEMPLE. Le corps n'est pas seulement l'objet du langage.Il "est", tout simplement.

Cette phase s'achève quand il ne reste plus ni tension, ni douleur, ni mouvement, quand il n'y a plus qu'un serein apaisement.

• Habituellement, le soin s'arrête là, mais il y a parfois un "cadeau". Ce qui se passe alors pourrait être rapproché d'une méditation tantrique.

Les deux corps produisent ensemble un concert énergétique d'une grande beauté. Leurs énergies se sont accordées sur des octaves supérieures, l'un autorisant l'autre et l'autre autorisant l'un; elles se mêlent à présent en un chant de grâce éprouvé dans le corps et dans l'âme, comme une ambroisie sublime qui transporte dans un univers d'une infinie pureté. C'est une sensation de l'âme et du corps très difficile à traduire avec des mots... une réelle communion des âmes.

Au sortir d'un tel travail - quand il a été poursuivi jusqu'à sa phase ultime -, les deux personnes se sentent complètement nettoyées.

Cette approche doit cependant être pratiquée avec prudence et parcimonie, car elle peut être fatigante si le travail n'a pas pu aboutir en une seule séance. Rares sont les personnes qui peuvent atteindre la phase quatre.

Cette technique présente donc l'avantage peu commun d'intervenir simultanément au niveau des corps physique, émotionnel, mental et spirituel.

Il existe d'autres approches parfaitement efficaces et protectrices pour l'opérateur. Nous insistons sur ce dernier aspect, car la pratique que nous venons d'évoquer engage en effet le thérapeute dans la sphère affective, là autrement dit où il est le moins protégé.

Autre approche possible : le massage énergétique. Proche de l'acupressure, il rétablit l'homme dans son schéma archétype et il agit sur tous les corps.

Citons aussi l'action sur les chakras. J'ai toujours été très réticente à cet égard, car un chakra "... ça ne se bouge pas comme ça !" Signalons cependant un "travail" qui commence à être reconnu et qui se transmet et se pratique gratuitement (c'est d'ailleurs une des raisons pour lesquelles on peut lui faire confiance).

Le "Maître" actuel est Luong Minh Dang, héritier d'une initiation donnée à l'origine par Dasira Narada. Ce Sri Lankais, né en 1846, était docteur en philosophie et haut fonctionnaire au sein du gouvernement de Ceylan. Il transmit son initiation à Dasira Narada II et se retira dans la montagne. Le troisième maillon de la chaîne est Maître Dang, vivant actuellement aux Etats-Unis.

Pour l'avoir personnellement vécue, je peux affirmer qu'à travers cette chaîne initiatique, il existe réellement une transformation importante sur le plan énergétique.

Je recommanderai aux personnes très motivées de contacter les gens qui travaillent dans cet esprit.[1]

---

1 Voir coordonnés déjà citées chapitre 10.

TROISIÈME PARTIE

MAGNÉTISME
ET
CONSCIENCE

Après avoir découvert la véritable dimension énergétique du magnétisme, puis les implications inconscientes qui en modèlent les matérialisations, entrons maintenant dans une conscience nouvelle - réellement cosmique - de son rôle fondamental et des pouvoirs spirituels auxquels il nous permet d'accéder.

CHAPITRE XII

LES GRANDS NIVEAUX DE GUÉRISON

"Lorsque l'homme supérieur rencontre la Voie, il l'embrasse fortement et ne la quitte plus.
Lorsque l'homme ordinaire rencontre la Voie, il l'adopte un moment puis l'oublie.
Lorsque l'homme inférieur rencontre la Voie, il éclate de rire et s'en moque.
Et s'il n'en était pas ainsi, la Voie ne serait pas la Voie."

Lao Tseu (Tao-Te-King)

Ces expériences mettent en évidence la relation entre la pensée et la matière. Partant de l'impossibilité dans laquelle nous sommes d'expliquer scientifiquement le processus elles nous permettent d'extraire le magnétisme du fatras des croyances stupides dans lesquelles on voudrait le confiner, pour lui restituer son rôle premier : celui d'une expression profondément humaine de notre corps et de notre psyché.

Magnétisme et guérison sont vieux comme le monde. On constate des phénomènes extraordinaires depuis des temps immémoriaux, et beaucoup de grands guérisseurs ont laissé leur nom dans l'histoire.
Mais qui est le guérisseur ? Un saint, un prophète, un homme extraordinaire... un demi-dieu ?
Pas nécessairement. En aucun cas, le don de guérison ne confère aucunement un diplôme de sainteté - si tant est que la sainteté existe.
Certains ont ce don comme ils auraient reçu une chevelure rousse ou un sixième orteil, par les hasards et l'humour - c'est proche d'amour - de la nature. La conscience de leur "singularité" fait parfois qu'ils se prennent au sérieux et se croient élus des dieux. Il n'est guère difficile de trouver des supporters avides de merveilleux pour les conforter dans cette illusion. Personne, malheureusement, n'est élu des dieux ; chacun s'élit tout seul !

D'autres - on les dit *"éveillés"* - ont acquis un certain rapport à la matière, après avoir âprement travaillé sur leur conscience. Ils ont en quelque sorte transfiguré leur corps de chair. Et s'ils guérissent, c'est de surcroît. Ils le font parce qu'ils savent que l'humanité a besoin d'aide et de soulagement. Ces gens-là ont accès à un autre niveau; ils sont détenteurs d'une autre qualité de conscience, mais n'en restent pas moins des hommes.

Tous ces aspects sont profondément humains. Ils font partie de l'extraordinaire aventure des consciences.

Chacun a la liberté d'avoir un peu de conscience. Nous disposons tous d'un petit morceau de conscience : celui qui nous permet de nous diriger au quotidien. Mais sa contrepartie, que nous appelons "Dieu", il y a bien longtemps que nous l'avons reléguée au vestiaire, peut-être justement parce que nous l'avons appelée "Dieu" ! A force de le mettre à l'extérieur, il a fini par y rester !

Les Traditions nous donnent de nombreuses clés pour aborder l'univers de la guérison. Prenons le cas de *l'Arbre des Sephiroth.*

S'il est impossible de déterminer la naissance de la Kabbale dans le temps, la plupart des historiens font remonter néanmoins la formulation de *l'Arbre des Sephiroth* - tel que nous le connaissons aujourd'hui - à la période médiévale espagnole.

L'Arbre est un modèle d'une extraordinaire efficacité, qui permet d'expliquer de multiples phénomènes. Notre propos n'étant pas d'entrer dans des détails qui pourraient paraître fastidieux à certains lecteurs, nous ne retiendrons que deux principes très importants :

1. Il nous révèle les archétypes des grandes énergies. Nous retrouvons la symbolique utilisée par l'astrologie. Nous nous intéresserons plus particulièrement aux principes énergétiques des astres suivants : la Lune, la Terre, Mercure, Vénus, et le Soleil.

2. L'Arbre est une représentation intelligente des différentes modalités de la matière suivant ses niveaux vibratoires. En y *"grimpant"*, nous allons du plus dense au plus subtil.

L'Arbre des Sephiroth est composé de 10 Sephiroth. Comme l'échelle de Jacob, il aide l'adepte à s'élever; l'Arbre se gravit échelon par échelon, en suivant un Sentier.
Chaque Sentier est l'histoire de notre âme qui traverse les régions de la conscience déterminées par les forces de la Sephirah de départ, unies à celles de la Sephirah d'arrivée.
C'est un *"code de la route de la conscience"*, qui utilise la puissance dynamique du symbole.

La Kabbale a inspiré une tradition occidentale des Mystères. *"Il s'agit d'un système de philosophie mystique qui a eu une profonde influence en Occident, mais a échappé à l'attention de la plupart. Ce système, né de la fusion d'anciennes traditions de la Méditerranée orientale avec des matériaux venus du Mysticisme intemporel des monastères du Sinaï, St Sabas, et véhiculé par les hésychastes, a pénétré de son symbolisme les sombres mosaïques et tableaux de l'art byzantin. Il apparaît dans les symboles, le rituel et l'architecture de l'ordre des Templiers. Il a inspiré les plans du baptistère de Florence; il a guidé la main de Giotto (1270-1337) lorsque, dans ses fresques, il a montré la "maison du sacrifice" sous l'image du temple; il a également guidé le peintre flamand inconnu, auteur du chef d'œuvre "l'Annonciation". Il apparaît dans bien des œuvres de guildes, dans tous les arts d'Europe médiévale, qui le transmit aux Platoniciens de la Renaissance. Notamment, son influence voilée est reconnaissable à son symbolisme dans l'œuvre de ce grand luminaire philosophique, Marsile Ficin."*[1]

En Italie, à l'époque de la gloire florentine, du temps de Laurent le Magnifique, un groupe d'intellectuels, savants et artistes (Marsile Ficin, Botticelli...) sont initiés à cette grande tradition par Pic de la Mirandole (qui crée la Kabbale dite "Chrétienne", syncrétisme de toutes les mystiques d'Occident : chrétienne, soufi, juive et panthéiste).
C'est une démarche extrêmement osée pour cette époque, qui lui valut les foudres de Savonarole.
Il n'est pas rare de dénicher, sous le peintre célèbre, le grand

---

1 *"Philosophie et pratique de la Haute magie"*, Mélita Denning et Osborn Philipps, Ed. Sand.

philosophe ou le découvreur génial, une intelligence structurée par la Kabbale (Newton, Michel-Ange, Spinoza...).

Il s'agit en réalité, derrière un mot qui fut longtemps associé à une idée de complexité et de secret, d'un ensemble symbolique qui a imprégné nos consciences occidentales.

Nulle originalité, donc, à ce que nous reprenions ces grands archétypes pour structurer une approche des phénomènes de guérison.

À chaque Sephirah est associé un dieu du Panthéon grec. La mythologie grecque recèle tous les secrets de l'alchimie de la conscience.

Les dieux grecs symbolisent les grandes énergies archétypales cosmiques, et les mythes sont l'équivalent des Sentiers de la Kabbale : ils sont les destinées possibles des énergies.

Les quatre mondes

Les traditions nous enseignent que l'univers s'est créé à partir d'une énergie Une qui Est, elle-même issue du non Etre.

L'univers matériel que nous connaissons est le résultat de la densification et de la complexification de cette vibration au fur et à mesure de son involution.

Ce niveau matériel n'est que l'apparence d'une réalité beaucoup plus vaste. Chaque être, par exemple, vit dans plusieurs plans à la fois. La plupart du temps il n'a conscience que d'un seul plan : le plan matériel. Mais il existe simultanément dans le plan de sa pensée, puis dans le plan de sa spiritualité, même s'il ne pratique aucune ascèse. Chaque tradition détermine ainsi un certain nombre d'étapes par lesquelles peut passer la conscience.

Sachons que nous avons là un modèle. À l'instar de l'astrologie qui partage le cercle zodiacal en douze parties, ou des Soufis qui disent que Dieu a 99 attributs (c'est-à-dire l'infini), nous, les hommes, nous établissons des codes pour nous repérer.

La grande conscience universelle, quand elle passe par le sas de la conscience humaine, semble opérer sur un plan vibratoire et rythmique : nous obtenons ainsi sept couleurs, sept notes, douze signes, sept jours de la semaine, deux fois douze heures pour une journée... et les mathématiques, enfants de la numérologie.

Ceci pour nous sensibiliser au fait qu'il s'agit de modèles et non de vérité absolue : parlons plutôt d'une vérité *"relative"*.

Parmi ces modèles, celui de la Kabbale offre la "notion des quatre mondes". Ces quatre mondes sont les quatre niveaux vibratoires de la matière :

• le niveau le plus bas est celui où la matière est enfermée dans la forme ;

• puis vient le niveau de la pensée liée à l'affectif et à l'émotionnel : c'est le monde des formes-pensées, le monde psychique ;

• nous trouvons ensuite le monde des concepts purs, ou *"monde des archétypes"*;

• enfin, le plan des essences, un monde où la matière psychique n'est plus.

Bien entendu, ces quatre mondes existent simultanément; mais quand nous sommes dans le plan de la conscience habituel, nous ne percevons en général que le monde de la matière. Si notre conscience était un peu plus éveillée, nous aurions accès au monde psychique avec ses entités. C'est précisément ce que font justement ceux qu'on appelle les *"psychiques"* ou les voyants. Des grands maîtres de l'humanité ont existé en permanence dans le monde dit *"des formes pures"*; mais on nous enseigne que l'homme ne peut connaître de son vivant le monde des émanations, ou monde des essences.

Les phénomènes de guérison extraordinaires sont troublants car ils dépassent le monde des lois de la matière, ou monde des lois terrestres. Un grand guérisseur défie les lois de ce qui est humainement admis : nous connaissons tous les *"miracles"* du Christ, et nous savons qu'il n'est pas le seul à avoir fait des prodiges. Chaque tradition a ses maîtres.

Ces phénomènes n'appartiennent plus au monde de la

matière dans l'espace-temps que nous lui connaissons.
L'Arbre de la Kabbale permet de les placer avec cohérence
dans le monde psychique (*"monde astral"*), ou dans celui dit
des *"formes pures"* (des deuxième et troisième niveaux).

Les lois qui les régissent sont différentes, et leur manie-
ment est généralement réservé à quelques grands initiés. Ces
mondes sont des espaces de la conscience individuelle
comme de la conscience cosmique. Il est un espace où nous
ne pouvons plus séparer conscience individuelle et conscience
cosmique.

Il est difficile d'appréhender la réalité de ces lois, car nos
mots appartiennent à un espace-temps terrestre. Nous les
contactons avec le langage des rêves, ainsi qu'avec tout
"objet" qui symboliquement jette une passerelle entre les
manifestations de ces mondes : guématria, symboles, talismans, carrés magiques, miroir, inversion de mot (verre = rêve,
magie = image...) et tout autre support qui ouvre une fenêtre
sur l'inconscient tout en restant conscient.

Ainsi Don Juan veut-il faire connaître le monde des *"alliés"*
à Castaneda (*"Le feu du dedans"*, coll. Témoin, Gallimard,
1984). Il lui demande de fabriquer un cadre pour un miroir
qu'ils doivent plonger dans l'eau, une eau peu profonde et
claire, car Don Juan n'aime pas trop l'eau !

Il y a toujours un formidable éclat de rire chez ce vieux
Nagual qui initie - il y prend beaucoup de plaisir - ce pied
tendre de Castaneda. Ils vont donc plonger ce miroir dans
l'eau. Inutile de raconter les étranges entités qu'ils connec-
tent : le miroir a failli se briser. Mais Don Juan sait, contrairement aux "Anciens voyants", qu'en faisant cela il extériorise
une entité psychique, même si l'apparence de cette dernière a
de quoi effrayer un régiment !

Ce que je remarque, de mon côté, c'est l'utilisation du
miroir, symbole même du fonctionnement de la conscience, et
du cadre dont l'utilité n'a aucun sens si ce n'est pour symboliser le cadre d'un espace psychique : l'entité vient de l'autre
côté du miroir (l'inconscient) et ne peut le traverser que s'il
peut faire office de fenêtre : il lui faut donc un cadre !

Le magnétisme peut appartenir à ces trois premiers
mondes.

Guématria : la guématrie est la science des noms et des mots en Kabbale. A chaque lettre de l'alphabet hébreu est associé un chiffre. Ainsi la somme formée par un mot peut-elle correspondre à la somme d'un autre mot, ce qui les met en correspondance.

Carré magique : le carré magique est un carré divisé en un certain nombre de cases. Chaque case contenant un chiffre différent. L'addition des chiffres qui figure dans chacune des rangées verticales, horizontales et diagonales doit toujours être constante. Le chiffre est la solution du carré.

• A la base, le magnétisme est une énergie vitale, universelle : nous le verrons avec le **magnétisme terrestre.**

• Cette énergie vitale se sublime : c'est le magnétisme du niveau **astral-lunaire.** Nous rangerons dans cette catégorie les trois grands modes de guérison dits *"magiques"* que sont la sorcellerie pour le *"magnétisme lunaire"*, la magie et l'alchimie pour le *"magnétisme mercurien"*, et le chamanisme pour le *"magnétisme vénusien"*.

Inséparable de la conscience, cette énergie est pleine de nos représentations inconscientes.

C'est à ce niveau que peuvent *"jouer"* les lois de l'inconscient, celles que Freud a eu le génie de découvrir, dans le domaine, notamment, du refoulement.

C'est entre les niveaux terrestre et lunaire que nous opérons généralement quand nous faisons du magnétisme. Nous ne pouvons envoyer une énergie pure quand nous sommes à ce stade, ce qui est le lot de 99 % d'entre nous.

• Quelques êtres seulement peuvent accéder au niveau du **magnétisme solaire.**

Les lois de cet espace sont encore différentes. Seul l'Amour peut nous permettre de passer ce que les Kabbalistes appellent la Porte des Hommes. Lui seul agit au travers des hommes : il n'y a plus besoin alors de la volonté, du rituel ou de l'utilisation des Forces. C'est le niveau d'intrégration spirituelle du Soi.

Enfin, la conscience accède quelques fois, en de fulgurantes visions - après le passage qu'Annick de Souzenelle appelle La Porte des Dieux -, à la supra-conscience.[1]

.*1* Annick de Souzenelle : *"Le symbolisme du corps humain"*, Ed Dangles.

L'homme vit, à ce niveau, le "retournement des lumières" ou retournement en doigt de gant: "L'homme qui jusqu'ici était miroir de Dieu, traverse le miroir; son bras droit devient le bras gauche de Dieu, son bras gauche devient le bras droit de Dieu."

Ces états sont décrits par les mystiques dans un langage symbolique.

CLASSIFICATION

Des phénomènes dits de magnétisme, ou plus largement de guérison, nous proposons la classification :

A) Magnétisme terrestre.

B) Magnétisme astral-lunaire, comprenant :
    1. magnétisme lunaire ;
    2. magnétisme mercurien ;
    3. magnétisme vénusien ;

C) Magnétisme solaire.

Cette classification n'est qu'une tentative - modeste - pour essayer de cerner les lois psychiques qui sous-tendent le magnétisme et la guérison.

Si nous avons besoin de l'expérience (c'est le sel de la vie), nous sentons aussi la nécessité d'un modèle pour organiser le chaos et créer l'Univers en le répétant : créer la durée dans le temps, comme Kronos-Saturne et créer le futur, une fois le présent maîtrisé.

Le modèle va permettre une répétition : *"La répétition n'est donc que l'élément immobile dans le mouvement, ou encore l'élément spatial dans le temps. Quand nous parlons par exemple du cycle des saisons de l'année, nous transformons le mouvement du temps en espace : nous remplaçons le mouvement par la représentation d'un cercle dans l'espace. Et ce cercle signifie la répétition de la suite des saisons stables : printemps-été-automne-hiver-printemps, etc."*[1]

---

1 *"Méditation sur les 22 arcanes majeurs du Tarot"* auteur anonyme, Ed. Aubier.

Que fait l'astrologie, sinon repérer les rythmes dans le mouvement répétitif et circulaire, et donner un nom à chacun de ces rythmes : Bélier, Taureau, Gémeaux, Cancer, etc. Elle décompose le tourbillon primordial en différents rayons ou archétypes qui seront chacun à l'origine d'une hiérarchie de qualités (dans les plans spirituel, psychique et physique), lesquelles ne sont que l'expression d'une seule et même réalité à des octaves vibratoires différentes.

Chaque élément de la manifestation trouve ainsi sa *"signature"* originaire, son appartenance à l'un des grands archétypes.

C'est ainsi que nous nous autorisons à classer les différents modes de guérison par rapport à ces grands archétypes que sont les planètes et leur énergie symbolique. Cela peut nous aider à mieux comprendre les forces en jeu et les niveaux spirituels inhérents à chacun de ces modes.

Chacun d'eux se trouve ainsi associé à:
• un niveau de conscience ;
• une qualité de conscience.

Le niveau de conscience correspond à la subtilité de sa sublimation.

La qualité n'a rien à voir avec l'aspect moral : elle est la façon préférentielle dont opère l'énergie.

• la TERRE est associée au magnétisme terrestre et animal;

• la LUNE est liée à la sorcellerie (blanche ou noire);

• VENUS entretient un rapport très étroit avec le chamanisme;

• MERCURE se rapporte à la magie et à l'alchimie;

• le SOLEIL est partie prenante dans la guérison miraculeuse.

Ces grands niveaux de conscience sont enseignés sous forme symbolique dans tous les grands mythes : *"Il ne serait pas exagéré de dire que le mythe est l'ouverture secrète par laquelle les énergies inépuisables du cosmos se déversent dans les entreprises créatrices de l'homme."* nous dit Joseph Campbell.[1]

---

1 *"Les Héros sont éternels"*, Ed. Seghers, 1987, grand spécialiste du décryptage du chemin initiatique de l'homme à travers ses mythes.

C'est ce que vit l'être à la recherche de la vérité. Cette recherche a-t-elle une fin, une solution ?

Il semble qu'elle soit, à l'image du labyrinthe de Dédale, un espace où l'âme a toutes les chances de se perdre, de s'enfoncer dans ses propres productions psychiques et ses illusions.

" Difficile à passer est la lame
effilée du rasoir,
chemin malaisé que celui-là,
disent les poètes."[1]

Ce danger, nous le rencontrerons juste après avoir franchi le premier voile (*"les Portes de la Nuit"*), pour nous retrouver au niveau lunaire.

Mais explorons, auparavant, le magnétisme terrestre.

---

1 *"The Thirteen principal Upanishads"* : *Katha Upanishad, 3-14,* traduits du Sanskrit par Robert Ernest Hume, Oxford University Press, 1931.

CHAPITRE XIII

LE MAGNÉTISME TERRESTRE

*"Si j'ai du goût, ce n'est guère
Que pour la terre et les pierres"*

Arthur Rimbaud
(Fêtes de la faim)

Nous placerons dans cette rubrique les phénomènes énergétiques issus de la terre et qui ont une influence sur l'être vivant, ainsi que les phénomènes énergétiques où la conscience humaine n'est pas sollicitée directement.

Nous rencontrerons deux grands types d'influence : les bonnes et les mauvaises !

Du point de vue de l'énergie tellurique, une bonne influence est une question de dosage par rapport au biologique.

Du point de vue des ondes de forme, il s'agira plutôt d'une question d'harmonisation.

Du point de vue de la "mémoire du lieu", la conscience humaine - passée et présente - peut être bien ou mal intentionnée...

Une nouvelle science : la géobiologie[1]

La géobiologie met en évidence l'influence du lieu sur l'état de santé de celui - homme, animal, plante - qui y vit.

Nous savons que notre corps éthérique se nourrit en partie des énergies cosmo-telluriques, et plus particulièrement de celles de la Terre. Il est également sensible à celles du lieu.

La Terre reçoit les rayonnements du Soleil, de la Lune, ainsi que d'autres astres qui sont extra-galactiques. Elle est soumise à un incessant bombardement de particules ou ondes électro-magnétiques (ces micro-ondes sont mesurées en Giga-Hertz : un Giga-Hertz équivaut à un milliard de vibrations par seconde).

En 1937, Peyré attire l'attention des spécialistes sur l'existence d'un quadrillage tellurique.[2]

---

1 Pour en savoir plus : *ABC de la Géobiologie*, D.Semelle, Ed. J. Grancher.
2 Le Docteur Peyré publia dès 1947, un livre intitulé *"Radiations cosmo-telluriques"* Ed. Maison de la radiesthésie.

Hartmann, le père de la géobiologie, précise ce quadrillage en 1945 : *"Ce réseau se présente comme une structure de rayonnements qui s'élèvent verticalement du sol tels des murs invisibles et radioactifs, d'une largeur de 21 centimètres chacun... En direction Nord-Sud il y en a un tous les deux mètres et d'Est en Ouest tous les 250 mètres."*[1]

Il constate aussi que les intersections de ces lignes, ou "nœuds Hartmann", sont particulièrement nocives quand on y séjourne fréquemment (lit, coin travail...). Seuls les chats s'y complaisent; ce n'est pas pour rien qu'on les appelle "mangeurs de chagrin" : ils ont le génie de se placer là où l'énergie est mauvaise pour l'homme et ils absorbent cette énergie.

Les Chinois appelaient ces points géopathogènes (dits "géo"), *"Portes de Sorties des démons"*.

Nous devons donc éviter de stationner trop longtemps sur l'un de ces nœuds. Le lobe-antenne, sorte de baguette de sourcier, permet de les repérer.

Un autre quadrillage, enfin, a été mis en évidence : le réseau Curry. En diagonale par rapport au réseau H, ses parallèles (d'une largeur de cinquante centimètres) sont espacées d'environ quatre mètres, et les points d'intersections sont aussi des espaces nocifs.

Il y a un deuxième facteur qu'il faut surveiller de près pour notre logement : la présence d'une eau souterraine, d'une veine ou d'une nappe phréatique, qui peut dévitaliser et provoquer un vieillissement prématuré. Aujourd'hui, on tient compte à nouveau de ces observations connues de nos ancêtres, qui avaient à cœur de bâtir en fonction des facteurs locaux.

Les sources négatives qui doivent susciter notre prudence sont nombreuses. Citons celles que Jacques La Maya a retenues dans son livre intitulé *La Médecine de l'Habitat* : failles géologiques, gisements de minéraux (en particulier ceux qui sont radioactifs), marécages anciens, troubles magnétiques locaux (perturbation ou privation de magnétisme terrestre), troncs d'arbres pourrissant dans le sol, courants telluriques subtils, cavernes naturelles plus ou moins bouchées, sources d'eau vives à l'aplomb de leur jaillissement, roches émissives, filons métalliques, cimetières, etc. Il précise : *"Donc tout ce qui circule et aussi tout ce qui stagne... tout ce qui forme des creux, des cavités, des différences de potentiel de "présence*

---

1 Blanche Mertz, *"Les hauts lieux telluriques"*, Ed. Georg- Genève.

matérielle"...Tout ce qui introduit une disparité, une dissymétrie, une disjonction et, donc, une émission de forme de l'un ou l'autre type..."

Si nous souhaitons vérifier la présence de facteurs nocifs dans notre habitation, nous pouvons demander au spécialiste (géobiologue, radiesthésiste) de lire ces perturbations sur plan ou sur notre aura.

Il est inutile de s'affoler : ces influences n'attaquent pas une constitution solide. Mais il est important de bien les connaître, surtout si elles s'additionnent. Elles peuvent être la cause de maladies, de dévitalisation, d'insomnies, d'énurésie pour les enfants. Il ne faut pas non plus les utiliser comme "écran" pour nier ou éluder un problème psychologique familial !

Toute pratique spirituelle efface ces réseaux. Ils ne sont donc plus présents dans les temples, dans les églises, dans les lieux où les hommes se réunissent au nom d'une Entité spirituelle. Ces lieux de culte étaient bâtis dans des endroits savamment choisis par des initiés, de façon à ce que les énergies telluriques agissent sur les niveaux spirituels de l'homme. Ainsi en Egypte, dans un même temple, on trouvera un emplacement qui vide de toute énergie et qui vise à provoquer la mort initiatique, et un peu plus loin, un autre emplacement où l'adepte sera soumis à des énergies restructurantes.

Notre-Dame de Paris est construite sur un ancien lieu de culte celtique. Cela vaut aussi pour bien d'autres cathédrales ou églises.

Les mesures faites sur des lieux par les géobiologues (et radiesthésistes) mettent en évidence plusieurs champs vibratoires. De nombreux spécialistes préfèrent utiliser l'échelle de mesure du biomètre avec le pendule, qui font plus appel à l'intuition. Que les esprits rationalistes se rassurent : il existe également des appareils sophistiqués ultra-modernes... qui parviennent aux mêmes résultats !

Les champs spirituels

Certains lieux sont réputés pour leur haute valeur vibratoire. On peut se demander si ces lieux sont naturellement extraordinaires, ou bien si les événements qu'ils ont abrités les ont irradiés (puisque tout s'imprègne d'une mémoire).

Ces endroits ont peut-être attiré les pèlerins grâce à leur qualité vibratoire. C'est le cas des grands lieux de pèlerinage : Jérusalem - qui réussit à elle seule à rassembler les trois grandes religions monothéistes-, La Mecque, Saint-Jacques de Compostelle, Lourdes...

L'esprit du lieu

L'esprit du lieu que respectaient les religions païennes, était le reflet de la rencontre entre la terre et l'homme.

L'esprit du lieu, c'est la façon dont nous sentons celui-ci et c'est aussi le rapport que nous entretenons avec lui. C'était, autrefois, la manière dont les hommes objectivaient[1] l'intuition d'une présence dans un lieu. En la nommant, ils lui donnaient encore plus de réalité. Enfin, pour parachever le cycle, ils lui vouaient un culte : l'alliance faite, il fallait en respecter les conventions sinon l'esprit se fâchait.

Cela nous fait sourire... mais cette entité, une fois créée et "cultivée", possède une force réelle qui peut aussi toucher des étrangers à ce culte. Serait-ce une façon de mettre en conserve les forces de l'inconscient collectif ?

Au Sénégal, le Ndoëp (rituel de guérison) a pour fonction, entre autres, de dialoguer avec ces Esprits. Nous avons eu l'occasion de le vérifier lors d'un voyage d'étude sur la transe et la guérison, grâce à l'Institut de Santé et Développement de l'Université Cheikh Anta Diop de Dakar qui voulut bien accueillir notre groupe de chercheurs. A la suite des travaux du professeur Colomb, psychiatre français, qui a eu l'initiative intelligente d'intégrer la médecine traditionnelle à la médecine classique et européenne, d'autres médecins se sont engagés dans cette voie et nous avons pu participer à des rituels de guérison.

Habitués aux techniques de transe, certains chercheurs ont accepté d'expérimenter les techniques indigènes. Quelques-uns ont présenté des états de transe profonds et la grande prêtresse (Fatou Sek) identifia l'un des Esprits qui se manifestait à travers la transe d'une de nos compagnes, comme un *"Esprit de l'eau"*, un Rab (esprit qui chevauche ou

---

1 Nous utilisons le verbe "objectiver" pour exprimer la fonction qui consiste - par un jeu métaphorique ou symbolique - à basculer l'univers subjectif dans l'univers objectif.

possède un être humain, dans la tradition Lebou, ethnie de la presqu'île du Cap Vert, au Sénégal) du pays appelé *"Coumba Lamb"*. Tous les membres du groupe avaient confiance dans le témoignage de notre collègue *"toubab"* (c'est ainsi que l'on désigne un docteur) qui reçut l'Esprit. Elle nous raconta l'intense réalité du phénomène qu'elle avait vécu, et que nous avions pu constater nous aussi. Cette transe d'une toubab blanche fit la *"une"* du *"Soleil"* le lendemain.

Il est donc bien difficile de séparer d'emblée ce qui appartient à la matière, à la terre, de ce que l'homme y dépose comme conscience.

La magnétite

La magnétite est cette pierre qui donna son nom au magnétisme.

On redécouvre actuellement ses propriétés curatives; quelques médecins l'utilisent à nouveau, notamment sur des douleurs musculaires.

Le professeur Rocard a été le premier à émettre l'hypothèse que notre corps contient de la magnétite. Il semblerait, selon lui, que nous en ayons dans les arcades sourcilières, la nuque, les coudes, le bas du dos, les genoux, les talons et le gros orteil.

Les cristaux

Le règne du cristal se compose de "sept familles" de structure géométrique : isométrique, quadratique, hexagonal, ternaire, orthorhombique, monoclinique, triclinique. Selon sa composition chimique, il peut également se classer en huit groupes.

Les pierres ont toujours été porteuses d'énergie. Avant même que leur valeur marchande n'en fasse l'objet de bien des convoitises - la taille du diamant n'a été mise au point qu'à la fin du XVe siècle, par Louis de Berquem - elles étaient réputées pour avoir un effet "magique" sur l'homme.

Aujourd'hui, nous parlerons d'une vibration. Il n'y a rien d'étonnant à cela : *"Toute manifestation physique n'est en fait qu'une expression vibratoire de l'essence primordiale"*, nous dit Katrina Raphaell.

La pierre est aussi la mémoire du sol. Or nous sommes encore loin d'avoir compris la puissance de guérison de la terre quand nous savons l'utiliser avec respect.

Si les contes de fées nous parlent de cristaux et de pierres précieuses, si les sept nains sont des chercheurs de diamants, si les princes et les rois se paraient de brillants... peut-être pouvons-nous supposer que les cristaux et les pierres sont de précieuses ressources pour l'homme.

Mais leur valeur ne vient-elle pas aussi du fait qu'elles symbolisent aussi les joyaux de l'inconscient ? Ce symbolisme surgit dans les rêves nocturnes ou dans les états de conscience élargis que peuvent procurer la méditation, la relaxation, le rêve éveillé... Prenons l'exemple du diamant. Par sa résistance, la pureté de son éclat, la multiplicité de ses feux mises en valeur grâce à une taille savamment méditée (la taille en brillant ou en rose, selon des chiffres sacrés), le diamant symbolise les pouvoirs de l'esprit portés à leurs plus hauts niveaux.

Nos sept nains - ou sept planètes - sont détenteurs des plus beaux secrets de l'inconscient. Ceux-ci sont gardés dans des grottes ou cavernes, une façon de symboliser notre inconscient. Il faut savoir lire un conte à plusieurs niveaux; si nous en perçons les secrets, nous comprenons que le conte est plus réel que la réalité et que matière et spiritualité ne sont qu'une seule et même chose, que l'homme, aveugle, dissocie.

La pierre vibre, en effet, comme la plante, comme l'homme. Le cristal semble mémoriser des intentions : il peut être programmé par celui qui médite sur lui. Nous avons compris cette étroite relation entre le cristal et la pensée dans nos expériences de cristallisation de sel d'alun. Mais là encore, de quoi le chargeons-nous ? Ne serait-il pas plus sage de ne pas y toucher et de le laisser participer à l'équilibre de la Terre ?[1]

Les ondes de forme

Il serait incorrect, alors que nous parlons des influences vibratoires à un niveau matériel, de passer sous silence le domaine des ondes de forme. *"Toute forme émet selon des axes déterminés par sa structure géométrique"*[2], nous dit Bernard Baudouin qui ébauche une classification autour de quatre grandes familles :

---

1 *"Les pouvoirs secrets des pierres et des cristaux"*, Ed. Albin Michel.
2 *"Le pouvoir des formes qui nous entourent"*, Ed. Tchou.

- émissions angulaires ;
- émissions intérieures ;
- émissions extérieures ;
- émissions mixtes.

Toute forme "émet". Parfois nous la sentons harmonieuse. D'autres formes nous gênent. Je pense notamment aux chaises design : jamais je ne leur confierais mon mûlâdhâra-chakra...!

Il semble d'ailleurs que la mode soit à la rupture des harmonies, dans le domaine de la musique, de l'habillement comme de l'architecture.

Cette forme de "zapping" que nous imposent nos créateurs dans le vent tient de l'anorexie mentale; le confort moderne est inversement proportionnel à son esthétisme !

Par une sorte de mimème (écho des choses en nous), nous sommes en perpétuelle communication analogique avec notre environnement qui est investi du prolongement imaginaire de notre corps; il épouse les formes que le regard rencontre : si nous avons mal au dos, c'est que notre regard est perpétuellement arrêté dans son élan. Notre humeur est terriblement influencée par les couleurs qui nous entourent, par l'harmonie des formes (nos urbanistes et ceux qui nous gouvernent ne l'ont compris que très récemment : il semble qu'ils aient privilégié l'utilitaire et l'économique au détriment de la santé physique et mentale des gens à qui ces espaces étaient destinés).

L'homme a-t-il besoin d'autre chose que de forme, de matière, de beauté et d'harmonie ? C'est parce qu'elles manquent à notre société que celle-ci, insatisfaite, se crée de faux besoins.

Le domaine des ondes de forme, où se mêlent encore parfois superstitions et réalité, mérite une très grande attention, l'avenir nous le prouvera bientôt. Déjà, de nombreux scientifiques se penchent sur son chevet.

Est-il utile en effet de rappeler les bienfaits de la pyramide dans le vieillissement des vins ? Citons pour finir quelques célèbres ondes de forme : les labyrinthes d'Amiens et de Chartres, le Pa-Koua chinois, le Sceau de Salomon, la Svastika, les anciens alphabets, les hiéroglyphes égyptiens...

CHAPITRE XIV

LE MAGNÉTISME LUNAIRE

"La lune est le soleil des statues."

Jean Cocteau

Après le magnétisme terrestre que les rationalistes pourront concevoir aisément - qui niera en effet que deux aimants s'attirent ou se repoussent -, intéressons-nous au magnétisme lunaire. Nous entrons à présent dans le monde de ceux qui acceptent l'existence d'une (ou plusieurs) forme d'esprit supérieure.

Cet univers est dit magique. C'est l'au-delà du miroir de la conscience, là où l'image devient magie.

Si les traditions le connaissent depuis fort longtemps, nos scientifiques commencent à peine à l'évoquer; ce qui laisse supposer que nous le comprendrons peut-être bientôt...

Dans cette vision magique, nous établirons des distinctions, formelles, entre trois approches de la guérison :

• la sorcellerie ;
• le chamanisme ;
• la magie.

De la Terre à la Lune

De la Terre à la Lune (sommes-nous sur la piste de Jules Verne ?), de la Lune au Soleil... voilà les deux grands sentiers du magnétisme que nous appellerons désormais *guérison.*

Nous pénétrons donc dans l'univers magique, un univers très inquiétant pour certains scientifiques, adulé par les poètes qui nous en restituent quelques images. Seuls les occultistes et les initiés en partageaient jusqu'à présent la connaissance.

Peut-être le temps est-il venu d'accepter la réalité de ce monde psychique et d'explorer les lois qui le gèrent. Nous abordons là un champ où la guérison utilise désormais la puissance de l'imagination, de l'émotion, du rituel.

L'homme initié à ce niveau devient plus efficace pour guérir, mais il a encore besoin d'outils. Il passe par l'utilisation *de l'image, de l'émotion, de la forme*, ainsi que par la chicane des lois secrètes propres à cet univers (nous verrons qu'au niveau de la guérison solaire il n'a plus besoin d'outils : il est un initié qui les a incorporés).

Utilisons une comparaison très prosaïque : le magnétisme lunaire est une ligne téléphonique qui a besoin de passer par un standard; le magnétisme solaire, quant à lui, obtient directement la ligne... à ceci près que certains pensent avoir la ligne des anges quand ils n'ont que celle de leur inconscient ! (Et si les anges étaient "inconscient"...?)

L'homme qui a atteint cette qualité de rayonnement solaire ne passe pas inaperçu : il a intégré ses propres contradictions et la matière répond, en miroir, à son ouverture spirituelle.

Certains passent par une *initiation*, processus qui consiste à être introduit dans une chaîne de signifiants. Nous ne pouvons nous étendre sur ce sujet, mais les initiations ont toute un point commun : elles font traverser une mort symbolique. Cette épreuve ouvre le passage vers le monde psychique.

Tout cela sera compris lorsque la véritable dimension du symbole sera reconnue : le symbole est, de fait, le seul lien entre l'univers de l'esprit et celui de la matière, l'initié devenant la chair même de ce symbole.

Au niveau solaire, nous rencontrerons ces grands Maîtres qui ont fait évoluer la conscience planétaire. Ils ont une action sur la matière - nous dirions presque *"à leur insu"* - bien au-delà de leur volonté égotique.

Nous trouverons notamment ceux que nous appelons les saints, les prophètes, les hommes ayant atteint le plus haut degré de spiritualité, ceux qui ont incarné dans leur chair la transmutation dont l'humanité a besoin : Bouddha, Moïse, Christ, Mahomet...

Lorsque nous explorons les possibilités du magnétisme terrestre, nous pouvons mesurer une vibration : selon l'unité de mesure adoptée, les radiesthésistes et les géobiologues repèrent de fortes intensités, notamment dans certains hauts lieux spirituels. Les expériences de Harrold Burr, citées précédemment, mettent en évidence de façon scientifique un champ électrique, ou *électromagnétique*.

Dès lors que nous abordons le monde psychique, nous nous devons d'évoquer un autre niveau de conscience. Nous le voyons avec les états de transe, quels qu'ils soient.

La transe n'est pas un état de conscience altéré, c'est un *"état de conscience élargi"*, un *"ravissement au sens étymologique du terme"*, nous dit Jacques Donnars, *"Un état dans lequel l'individu est arraché à sa vie et à sa conscience quotidienne et plongé brutalement dans un état de conscience totalement autre, incroyablement plus large et plus complexe, dont il est extrêmement difficile de rendre compte avec des mots, ce qui l'amène souvent à garder le silence, et dans lequel la notion habituelle d'espace et de temps se trouve profondément remise en cause, la bonne vieille conscience de veille n'étant là qu'un simple fétu au milieu de cet extraordinaire système à être qui se révèle à nous quand la porte du dedans s'est ouverte sur cet infini."*[1]

Au niveau solaire l'énergie de guérison est complètement disponible, comme dans l'exemple cité au début de cet ouvrage : la guérison de la femme hémorragique par le Christ.

Ainsi que nous l'avons annoncé, ce monde psychique a sa trinité : aux pouvoirs de l'image, nous associons la Lune; aux pouvoirs de la forme, Mercure; aux pouvoirs de la force, Vénus.

Nous reprenons ainsi une symbolique millénaire : nous n'avons rien trouvé de plus puissant que les mythes grecs - qui de surcroît sont ceux de notre culture - pour exprimer les réalités de Psyché, notre âme.

Le principe lunaire

Le monde lunaire, univers des illusions, de La Maya, est à jamais sur le passage de celui qui cherche. Les illusionnés et les illusionnistes y sont chez eux : illusionnistes, nous en avons, tous, les moyens; illusionnés, nous le sommes plus encore. Mais illusion n'est pas synonyme de néant : dans cet univers, on crée, on fabrique, on agit, on peut être très efficace, et les pratiques de guérison classées sous cette rubrique nous le démontrent.

---

1 *"La Transe, technique d'épanouissement"*, Ed. Homme et Connaissance.

Pourquoi "magnétisme lunaire" ?

La symbolique des planètes est, à notre insu, très influente dans notre monde occidental. Que l'on pense, par exemple, aux jours de la semaine qui représentent les sept planètes.

La Lune a une influence sur le plan énergétique et magnétique pur, ainsi que sur le plan symbolique. Nous connaissons le rapport entre les marées et la Lune; il est désormais établi, grâce aux statistiques, que les périodes de pleine Lune accentuent l'intensité des forces psychiques, ce qui se traduit chez les délinquants, par une tendance plus marquée au délit.

Nous savons aussi qu'à travers notre propre planète, de nombreuses méditations spirituelles ont lieu à ce moment précis. La Lune stimule les énergies psychiques, pour le meilleur ou pour le pire : *"Au cours de cette période le voile de l'illusion est illuminé et il en résulte des hallucinations, des visions astrales, des besoins psychiques pressants, et cette série d'interprétations erronées de la vie, d'accents excessifs mis sur certains aspects, que nous appelons phobies, lunatisme, etc."*[1]

Son symbolisme représente une force aussi influente et formative que l'influence physique directe. La Lune, miroir du Soleil, est la maîtresse des illusions, le poète le sait, qui nous dit :*"De deux choses Lune, l'autre c'est le Soleil"* (Jacques Prévert)[2].

Elle est le principe de la réflexion : *"De même qu'elle réfléchit la lumière du Soleil, de même l'intelligence humaine réfléchit la lumière créatrice de la conscience."*

Elle sert de réflecteur à la lumière, mais elle ne peut être considérée par là-même comme la lumière pure, la conscience pure : elle n'est qu'un maillon de la chaîne entre les énergies spirituelles et la matière.

Cette *"matière psychique"* est relativement dense. On peut l'imaginer comme du nuage. Les clairvoyants la perçoivent dans les auras, ou dans des manifestations particulières : fantômes, entités diverses (gnomes, elfes, lutins, ondines, dévas...).

Peut-on parler de la réalité de ces présences ? Personne ne saurait répondre catégoriquement à cette question, mais on évoque couramment le très fort sentiment de réalité qui

---

1 *"La Guérison Esotérique"*, Alice A. Bailey, Ed. Lucis, 1976.
2 *"Méditation sur les 22 Arcanes du tarot"*, opus cité.

accompagne ces visions vécues dans un état de conscience élargi. On suppose qu'à ce moment précis, la conscience humaine met en image quelque chose qui ne relève pas uniquement du plan personnel. Un voile s'est levé - la Papesse du tarot symbolise ce voile - qui autorise à percevoir une autre réalité, grâce à notre fonction d'*"imager"*.

Cette matière dispose également d'une relative autonomie. Nos pensées personnelles, quand elles sont liées à nos émotions, créent une matière psychique que l'on appelle "forme-pensée".

La plupart des êtres humains restent à l'état de veille (*"Jagrat"* en sanscrit) qui "correspond à la Terre, à la matière, au corps, à la vie quotidienne", même si leur pensée fait parfois une incursion dans la Lune (état de rêve, *"Svapna"* en sanscrit). C'est une intrusion sans conséquence, car ils n'en retirent rien. Mais nombreux sont ceux qui entreprennent quand même le grand voyage de la conscience.[1]

Que se passe-t-il de la Terre à la Lune ?

La conscience s'est, en quelque sorte, extirpée de la matière, où elle était confondue dans un état de néant absolu.

Cette pesanteur absolue, cette conscience *"plombée"*, est associée à un aspect de Saturne dans l'Arbre des Séphiroth, auquel on associe le plomb. Si nous descendons plus encore dans la lourdeur et le néant, alors nous rencontrerons peut-être cet état que Sri Aurobindo appelle *"nescience"* et que nous pouvons associer aux énergie plutoniennes.

Pluton est maître des enfers, et Sri Aurobindo parle de la nescience comme de la zone de l'inconscient la plus noire, proche d'enfers, du refus et de la négation, de la cruauté et des perversions. Cet état n'est que virtuel, bien sûr. En s'extirpant ainsi comme le veulent les lois de l'évolution, la conscience prend du recul par rapport à cette matière, c'est là son premier pas : ne plus se confondre avec.

La première phase est la fonction imaginaire. En thérapie, nous constatons qu'il y a somatisation chaque fois que l'accès à l'imaginaire est bloqué. Le niveau Terre correspondrait à la somatisation. Il y a début de guérison chaque fois que les

1 Pierre Etévenon, *"Les Aveugles éblouis"*, Ed. Albin Michel.

maux peuvent se *"dire"* en image, c'est-à-dire accéder au niveau lunaire.

La première étape de la conscience est le passage par cette boîte à images : c'est-à-dire la capacité qu'ont les pulsions, les désirs, et les sensations à se transmuter en *"matière-image"*. C'est la fonction même de la Lune dans l'Arbre des Séphiroth. Les images sont là de tout temps : personnelles ou transpersonnelles. En cela, nous nous opposons aux conceptions qui veulent que l'homme soit le seul créateur de ses images. L'homme accède, par sa boîte à images, à son inconscient et à l'inconscient collectif. Sa richesse personnelle est à la mesure de son contact avec son être intérieur. C'est ainsi que la créativité et l'inspiration des grands artistes nous semble être une synchronicité, une rencontre entre l'imaginaire de l'artiste et l'imaginal. Nous avons parlé de l'imaginal dans la deuxième partie de ce livre, peut-être pourrions-nous le présenter comme l'imaginaire du symbolique : **l'imaginal est au symbole ce que l'imaginaire est au fantasme.**

La guérison sera la seconde phase. La plupart du temps, la conscience aborde cet espace puis revient à la conscience de veille, sans acquis.

La guérison survient lorsque s'accomplit la fonction de conception de la Lune. Elle est l'Utérus cosmique, celle qui engendre, qui fait passer l'énergie à la masse et vice-versa.

Quand la conscience réussit à féconder les trois corps - physique, émotionnel, spirituel - comme dans les états de ravissement de la transe et de l'extase, les conditions sont réunies pour qu'une guérison ait lieu, c'est-à-dire une action des forces de l'esprit sur la matière.

A petit esprit, petite guérison; à grand esprit... grande guérison !

Un pont entre le corps et la psyché

Le psychothérapeute peut associer le magnétisme à ses derniers outils. Cela se pratique souvent, sous une dénomination différente car un tabou semble peser sur l'emploi de ce mot. Il n'empêche que le magnétisme fait fondre la cuirasse émotionnelle; il permet d'atteindre, sans cris et sans douleurs, les replis de la psyché où se réfugient les dernières résistances.

De nombreux thérapeutes font du magnétisme naturellement, car ce peut être aussi une simple qualité de présence, un rayonnement que ceux qui ont su "descendre dans leur corps" et dans leurs émotions sont capables de générer.

Beaucoup de gens travaillent actuellement sur la "thérapie des facias", technique que nous devons à Monsieur Dany Bois[1]. Le thérapeute est en phase avec son patient dans un toucher léger des facias (ou tissus conjonctifs) qui participent à la régénération cellulaire et à l'élimination des toxines; il éveille ainsi les mémoires traumatiques que le corps, telle une éponge, conserve en lui.

Nous sentons cela aussi dans le travail sur la nuque, que nous avons évoqué dans le chapitre 11. Le corps parle, mais à l'aide d'un langage secret et timide; il nous faut tendre l'oreille pour percevoir ses appels. Toute intervention à ce niveau est très émouvante pour le thérapeute : il est en contact avec les lieux les plus intimes et les plus beaux de l'âme de son patient.

Peuvent également trouver leur place à ce niveau toutes les techniques de travail sur les états de transe provoqués naturellement ou artificiellement.

Les modernes

Les psychothérapies modernes utilisent des techniques d'imageries mentales, de TTT, ou bien des techniques de transe ou de chamanisme.[2]

Les hallucinogènes ou autres plantes utilisées de façon rituelle comme chez les Indiens peuvent dénouer des conflits psychiques et aider à la compréhension et à la guérison.

Stanislav Grof, créateur du mouvement des thérapies transpersonnelles, a fait un formidable travail de thérapie avec le LSD.[3] Ces techniques ont l'avantage de débloquer les résistances entre le conscient et l'inconscient et d'ouvrir l'intuition en donnant le contact avec le monde de la créativité lunaire. Actuellement, toute utilisation de drogues est devenue interdite.

Je recommanderai la plus grande prudence à l'égard des techniques qui induisent la transe par l'extérieur, que ce soit

1 Pour tous renseignements sur cette pratique, contacter Eric Salmon, 11, rue Jacques Dulud, 92200 Neuilly-sur-Seine.
2 • Ce qui se pratiquait dans les Temples d'Esculape où ces techniques constituaient elles-mêmes la cure. • Transe-Terpsichore-Thérapie : méthode de transe psychologique adaptée à la société laïque, technique que nous devons au Docteur Akstein, psychiatre brésilien. • Consulter son livre : *"Un voyage à travers la transe"*, Ed. Tchou.
3 *"Les royaumes de l'Inconscient Humain"*, Stanislav Grof, Ed. du Rocher. Pour tout renseignements sur les thérapies transpersonnelles, consulter l'AFT, Association Française du Transpersonnel, siège social chez Monsieur Marc-Alain Descamps, 16 rue Berthelot 75005 Paris.

par des substances hallucinogènes ou par un apport d'énergie (ouverture des chakras), parce que les mécanismes sont parfois trop rapides pour que la conscience puisse les intégrer parfaitement. On comprend alors que des résistances à la guérison se soient installées : c'est tout un édifice qui est touché et que l'on risque de voir s'écrouler si l'on procède à une intervention trop rapide. Le contact avec cette zone lunaire de la psyché peut provoquer des états de bonheur, mais ces états sont parfois *"limites"* et *"artificiels"* pour ceux qui sont à l'extérieur du processus.

Ces techniques élèvent la fréquence vibratoire. Mais après la disparition de la source stimulatrice, le niveau vibratoire retombe s'il n'y a pas eu changement de conscience: nous sommes de nouveau confrontés à de nombreux états dépressifs.

Pour toute intervention de ce genre - elle peut être très riche et très utile pour les funambules de la conscience -, il faut s'assurer de l'équilibre psychique de la personne, ou bien assurer un rétablissement progressif.

Je recommanderai plutôt des techniques comme le *"rebirth"* ou la TTT, transe induite par la rotation du corps. Utilisées à l'origine par les mystiques soufis, ces techniques ont été reprises par des thérapeutes hors contexte traditionnel. Ces techniques induisent la transe par une transformation psychophysiologique à la mesure de celui qui la pratique. On a la transe qu'on mérite !

Elles sont sans danger psychologique pour peu qu'elles soient bien accompagnées. L'expérience est réalisée *"par soi-même pour soi-même"* ; l'inconscient corporel sait et connaît les limites de la personne. La guérison se fait donc progressivement sur le plan psychique, bientôt suivie par la guérison physique.

Les anciens

Traditionnellement, les anciens utilisaient ces techniques de guérison associées à un Esprit religieux. On peut distinguer plusieurs modes d'approche, qui sont fondamentalement les mêmes mais qui utilisent trois grandes caractéristiques du niveau psychique :
• le principe "image" ;

• le principe "force" ;
• le principe "forme".

Les trois grands modes d'approche de la guérison sont : la sorcellerie, le chamanisme, et la magie.

Ce cloisonnement est un peu artificiel car ces trois modes sont étroitement liés.

La notion de "forme-pensée"

Nous saisissons maintenant combien la pensée liée à l'émotion s'incarne dans le corps. L'exemple le plus simple est l'émotion qui s'exprime physiquement quand un amoureux pense à l'élue de son cœur. Cependant elle n'imprime pas que le corps : la pensée liée à l'émotion envoie aussi ses *"gaz"* dans l'atmosphère; c'est ce que l'on évoque quelquefois en parlant de *"l'atmosphère"* d'un groupe, d'un lieu, d'une maison.

Pensées et sentiments nourrissent ce phénomène à notre insu. Et, par voie de conséquence, ils le rendent plus efficient.

Voici le témoignage d'un événement vécu par Monsieur Singleton, au cœur de l'Afrique où les croyances en sorcellerie sont si fortes qu'elles peuvent amplifier le processus, même si celui-ci n'est pas intentionnellement provoqué : *"A Nguruka, la fête donnée à l'occasion du mariage d'un couple âgé a été interrompue lorsque nous avons appris que le bébé d'un couple voisin était à l'agonie. Des frictions et un peu d'aspirine - c'était tout ce que je pouvais faire - ont fait merveille et une heure plus tard le bébé était "miraculeusement" guéri. Pendant que je m'occupais de l'enfant, une vieille femme un peu ivre se tenait dans l'embrasure de la porte et gémissait : "C'est peut-être ma faute, mais tout ce que je voulais, c'était regarder le bébé". Les personnes qui se trouvaient là lui répétaient de ne pas se tracasser puisque ce n'était pas un cas d'uchawi (envoûtement). Il n'empêche qu'avant la fin de la journée, la famille de l'enfant avait déménagé à l'autre bout de la ville et la pauvre femme, ayant remarqué du sang dans ses selles, avait dû s'aliter."* La réflexion de la vieille femme est extraordinairement touchante, car elle montre combien elle était finalement consciente de ses sentiments d'envie; une évidence que le couple avait également perçue puisqu'il jugea plus prudent de s'éloigner !

En thérapie, nous savons qu'une seule personne malade

peut alourdir toute la dynamique d'un groupe. Gérer une telle situation demande une grande habileté. J'ai eu l'occasion d'observer l'extrême compétence de certains thérapeutes en ce domaine. On considère que le symptôme *"appartient"* au groupe et il est soigné, dans cette dynamique, par des techniques de musique et de transe.

"Balayeurs de l'astral"

Cette expression m'est venue alors que je méditais sur un travail de groupe que je venais de réaliser avec un ami chaman et je me demandais parfois *"ce que je faisais là"*, tant les énergies étaient lourdes et négatives.

Le thérapeute - ou chaman moderne - prend à sa charge le poids de l'angoisse de celui qu'il soigne et qu'il aide à se *"convertir"* par un travail de conscience. Parfois, cependant, certaines modes n'acceptent plus la rigueur qui est inhérente à tout travail de ce genre (le rituel ou l'ascèse remplissaient autrefois cette fonction d'*"encadrement"*).

Tout ce qui surgit dans ce type de travail doit être recadré, structuré et non pas venir nourrir l'idéologie du moment. C'est entre autres la fonction du cadre espace-temps de la psychanalyse. De nombreux groupes, malheureusement, ne travaillent qu'à faire surgir les émotions... et finissent par se perdre dans cet univers psychique ! Il en résulte un grand déséquilibre, le seul profit se réduisant à une satisfaction immédiate des sens.

Le thérapeute est un *balayeur* du bas astral. À être toujours en contact avec ce qui ne va pas, il en perd parfois son simple bon sens. À s'entourer d'êtres qui le prolongent dans ce fonctionnement névrotique, il s'enferme lui-même dans les processus qu'il cherche à guérir chez les autres. Là est le danger des lieux de vie - ou de tout espace communautaire - à vocation de guérison, qui sont insuffisamment ouverts sur l'extérieur : ce sont des viviers de névroses et de psychoses mégalomaniaques.

Le thérapeute doit être en mesure de sortir de son univers lunaire. Il doit avoir d'autres sources de régénération. Il est donc nécessaire - voire vital - pour ces guides qui ont un dur travail, d'évoluer aussi en dehors de la sphère émotionnelle, de ne pas devenir objet de leur propre fonctionnement, et de rester maître de leur œuvre. Ils ne feraient sinon que déplacer les détritus et se condamneraient, tel Sisyphe et son rocher, à nettoyer éternellement des détritus qui de toute façon reviendront toujours au même endroit dès qu'ils auront le dos tourné. *"Le mental, le vital, le physique sont à proprement parler des instruments pour l'âme et l'esprit; quand ils œuvrent pour eux-mêmes, leurs produits sont ignorants et imparfaits; s'ils peuvent être transformés en instruments conscients du psychique et de l'esprit, alors ils atteignent leur réalisation divine : telle est l'idée contenue dans ce que nous appelons, dans notre yoga, la transformation."*, comme le précise Sri Aurobindo.[1]

Dans un travail de groupe de type chamanique, le mal de la personne est considéré comme le symptôme du groupe à ce moment précis, tout comme en thérapie familiale l'enfant malade est le symptôme de la famille.

Ce type d'approche est très intéressant, car il permet de *"recadrer"* le symptôme. Les thérapies auraient intérêt à inclure plus fréquemment ce genre de prise en charge, car la souffrance d'un individu est souvent une manière d'endosser un malaise plus large, une maladie de groupe, de culture... et Dieu sait si la nôtre est devenu perverse !

Cette énergie émotionnelle imprime donc un espace psychique très large. Les spécialistes l'appellent Akasha, ou mémoire de l'humanité. On parle aussi de loi Karmique, ou loi de causalité. Quand on crache en l'air, on reçoit sur le nez ce qu'on mérite : *"Aujourd'hui la moisson est mûre, et l'humanité récolte ce qu'elle a semé."* nous dit Alice A. Bailey[2]. *"Tous les événements qui surviennent actuellement dans le monde et qui affectent si puissamment l'humanité - création de beauté et d'horreur, modes de vie, de civilisation et de culture, préjugés favorables et défavorables, aboutissements scientifiques, expressions artistiques, et modalités innombrables par lesquelles l'humanité de par la planète colore l'existence - tous sont des aspects d'effets ayant eu quelque part, à un certain niveau, en un certain temps, une cause due à des êtres humains agissant soit individuellement soit en masse."*

Chacun de nous est une infime partie d'une même et grande entité; nous sommes donc tous interdépendants et responsables les uns des autres. Par chance, le nombre des êtres et

---

1 *"La Femme"*, extraits des œuvres de Sri Aurobindo et de la Mère, Ed. Sri Aurobindo Ashram, Pondichéry.
2 Alice A. Bailey, *"La Guérison ésotérique"*, Ed. Lucis, 1976.

des petits groupes qui essaient de faire un peu de ménage dans leur environnement grandit sans cesse; mais l'illusion serait de faire le ménage de la maison sans avoir fait sa propre toilette.

En écrivant ces mots, je me souviens d'un rêve que fit une de mes patientes lorsqu'on l'initia à une technique de guérison : *"J'étais dans une salle de bains; une grande et sympatique salle de bains, un peu à l'ancienne; je voulais être seule pour faire ma toilette et enfin commencer utilement ma journée. Mais il y avait des amis et connaissances, ou des proches de la famille, qui semblaient trouver cet endroit confortable pour poursuivre leur conversation informelle. Je m'égosillais pour qu'ils quittent ce lieu, mais ils n'entendaient rien.. "*

Les techniques de guérison

Définissons à présent les différentes pratiques magiques, telles que la sorcellerie, la magie et le chamanisme.

Toutes les trois utilisent les forces de l'imaginaire, qu'elles matérialisent de différentes manières. Ces forces ont des lois : causalité, réciprocité, harmonie. C'est plus particulièrement dans la mécanique que nous distinguons les différences.

Très brièvement, nous dirons que la sorcellerie objective l'imaginaire et le transfère sur des objets. Le chaman l'associe aux grandes forces des éléments et travaille aussi avec les esprits de la nature, le corps, la danse, tout ce qui touche à l'émotion. La magie, quant à elle, utilise l'invocation d'Esprits et le rituel. En réalité, cette séparation est plus virtuelle que réelle : en effet, les trois techniques utilisent l'imaginaire, le rituel et l'invocation d'Esprits.

La sorcellerie objective ce que le psychologue nomme inconscient. *"Les rites et les symboles sont des concepts que les cultures occidentales contemporaines s'attachent à prendre au sens métaphorique. Or en EEC (état de conscience chamanique), ceux-ci deviennent - en réalité sont - ce que le chaman stipule qu'ils représentent"* nous dit Jeanne Achterberg. En procédant de la sorte, il fait quelque chose de grave : le chaman se met sous les lois de cet univers. Il prend d'énormes risques en même temps qu'il se rend plus efficace sur le plan des résultats matériels.

Le mythe de Faust illustre à merveille cet "échange" entre la masse et l'énergie, lequel ne se fait jamais sans sacrifice : Faust doit donner son âme au diable, car il fait un marché dans le monde de la matière. Le diable représente l'involution de l'énergie et sa coagulation dans la matière. Toute pratique magique utilise le sacrifice : mal compris, le sacrifice est une mutilation pour gagner autre chose, d'où l'esprit superstitieux de certaines personnes qui ne conçoivent la vie que sous cet angle d'échanges énergétiques, car ils ont peur. Or *"sacrifice"* veut dire *"rendre sacré"*.

Il est d'usage de dire que l'efficacité de la sorcellerie n'est effective que pour les personnes qui partagent les mêmes signifiants. Tout porte à croire cependant que son impact réel peut déborder l'univers où les signifiants sont partagés; en effet, les forces de l'inconscient sont, à certains niveaux, communes à la Terre entière, tandis qu'un signifiant n'est qu'un signe partagé par des hommes d'une même culture.

Il importe de bien comprendre que ces forces conçues dans l'univers imaginaire agissent dans le monde réel. Toute la fonction lunaire est là, dans son aspect d'utérus cosmique où elle fait advenir l'énergie qu'elle engrange des Séphiroth supérieurs.

Bien entendu, les critères de validité de telles pratiques semblent parfaitement aléatoires face à la réalité : dans l'univers matériel, dont nous partageons tous le sentiment de réalité, si je lance un caillou en l'air, je m'attends - et j'ai raison - à ce qu'il retombe par terre... quand ce n'est pas sur mon nez !

Dans l'univers imaginaire, si je suis à l'origine d'une action, cette action devrait aboutir (travail de la visualisation créatrice). Mais toutes les forces de mon inconscient et de l'inconscient de celui que j'aide peuvent intervenir à mon insu et la contrarier. Or, ce que la matière a établi dans la forme et la densité que nous connaissons peut difficilement être bougé. C'est la raison pour laquelle nous crions "au fou" quand un malade atteint d'un cancer refuse l'opération sous prétexte de guérison spirituelle.

Ces forces inconscientes apparaissent à l'homme qui les explore comme structurées à la façon d'un hologramme : plus nous y pénétrons, plus elles se font complexes.

Tout "commerce", toute objectivation de ces forces n'est pas sans danger car elles mettent le chercheur sous leur dépendance. Une population qui fonctionne selon ces principes prend les risques de se limiter, comme le montre la confidence faite par ce Nigérien, pourtant musulman, à Singleton : *"Si jamais je fais fortune, je ne construirai certainement pas une maison à deux étages là où la plupart des gens vivent dans des maisons basses : ils diraient que je les regarde de haut et me jetteraient des mauvais sorts."* (ibid)

Nombreux sont les chercheurs de vérité qui se sont laissé mener par ces forces qu'ils avaient eux-mêmes créées, nourries, entretenues, et qui sont devenues par la suite des *"entités psychiques"* exigeantes.

En psychanalyse, les cas typiques d'un tel fonctionnement sont la névrose obsessionnelle et la phobie. La malheureuse victime d'une névrose obsessionnelle peut être amenée, par exemple, à passer douze heures de sa journée à se laver, et à dormir par terre pour ne pas contaminer son lit. Le phobique va tout craindre, comme s'il ne pouvait plus avoir confiance en sa propre étoile, parce qu'il a démissionné de son pouvoir. Tout comme Esaü a troqué son droit d'aînesse à son frère contre un plat de lentilles, le phobique a échangé son indépendance contre la protection de sa mère.

Le passage du concret à l'imaginaire exige du guérisseur une très grande solidité psychique et physique : *"... mais étroite est la porte et resserré le chemin qui mène à la Vie, et il en est peu qui le trouve."*[1]

La question est résolue quand le guérisseur appartient à un ordre symbolique qui lui garantit des repères. C'est bien là l'une des fonctions essentielles de l'initiation.

La sorcellerie

Les essais sur la sorcellerie sont innombrables. Toute tentative d'explication est vouée à l'échec dès lors qu'elle réduit à une pensée abstraite un phénomène qui se nourrit des pensées qu'il génère, et dès lors qu'elle oublie son propre cadre conceptuel. "Autant parler du vin sans jamais le goûter" répondit un jour Jacques Donnars à une sommité de l'Université qui critiquait son approche de la transe par l'expérience; ces messieurs de l'Université pensent qu'étudier les phénomènes de la

---

1 *Matthieu. VII, 14.*

conscience les dispense de les expérimenter. Singleton aurait pu leur rétorquer :
"Il ne sert à rien de prouver que la sorcellerie n'existe pas puisque même si elle est "purement imaginaire" elle a une réalité en tant que produit de l'imagination." [1]

La sorcellerie fonctionne encore, beaucoup, et pas seulement en Afrique.

Elle utilise en particulier le transfert d'une force, d'une forme-pensée sur un objet, d'où les nombreux talismans et amulettes dont se couvrent les sorciers.

L'amulette est un objet qui contient une substance naturelle, médicale ou supposée telle (végétale ou animale) pour protéger des maladies et des maux physiques. Elle peut avoir une action directe ou une action par analogie. Le talisman peut être fabriqué à partir d'une matière naturelle, mais il agit par le truchement du symbole ou de l'analogie et ce, toujours grâce au principe selon lequel l'imagination peut investir un objet. Nous comprenons mieux alors l'importance du fétiche.

Je fus témoin d'une étrange histoire qui se déroula dans un salon parisien. Il y avait là une dame, une Européenne, qui pratiquait la sorcellerie africaine. Nous fûmes nombreux à manquer de nous étrangler lorsqu'elle nous posa cette question : *"Que dois-je faire à votre avis ? On m'a trompée; j'avais demandé à une jeune femme de nourrir mes fétiches pendant mon absence, en lui spécifiant bien qu'il leur fallait du sang de poulet et pas du sang de porc. Cette idiote a dû utiliser du sang de porc, car à mon retour mes fétiches étaient ingouvernables : ils ont failli m'attaquer. Je l'ai donc punie; elle est très malade, mais je suis en train de me demander si je la tue ou pas. Qu'en pensez-vous ?"*

L'assistance n'avait plus envie de lever le nez du vol au vent dans lequel elle s'était réfugiée. Grand silence. Que répondre face à une telle logique ? Cette femme semblait de bonne foi; elle était dans les lois de son univers. Lui expliquer que ce n'était pas très chrétien que d'exterminer son prochain pouvait vous faire courir le risque de finir comme cette pauvre jeune femme.

Cette histoire illustre un des aspects inquiétants de cette pratique mais la sorcellerie n'est pas que cela. Elle est tout aussi bien utilisée au service de la guérison.

---

[1] *"La sorcellerie en Afrique : qui fait quoi ?"*, Pro Mundi Vita dossier, février 1991, 6, Rue de la Limite - B-1030, Bruxelles, Belgique.

Le chamanisme utilise le corps, la force des éléments et des élémentaux, ainsi que l'imaginaire, l'émotionnel.

Bien entendu, le chaman fait appel aux principes du rituel et du transfert, mais il est vénusien; dans la mesure où il fond les grandes forces extérieures à son corps et à son esprit, il y a osmose.

La magie passe plus facilement par le rituel, la structure, la forme, le symbole. La magie s'adresse plus à la sphère intellectuelle.

Le magicien ne chevauche pas ou ne se laisse pas chevaucher par les esprits. Il est plutôt du genre mercurien. Il n'expérimente pas les états de conscience. Il reste à l'extérieur du processus et manipule ces forces par le rituel et les symboles.

La sorcellerie utilise de préférence la substance psychique, le chamanisme le principe de la force et la magie le principe de la forme.

Pour ce qui est du sorcier, l'élaboration de ses techniques est plus proche de ce que l'on nomme en psychanalyse *"processus primaire"*. Il fait appel aux couches les plus archaïques de la psyché. Il agit sur le corps éthérique en utilisant une partie détachée du corps : ongle, cheveu, liquide corporel... parce que cette partie, encore très reliée au corps réel - énergétiquement ou métaphoriquement - sert de support et redouble l'efficacité de son action. Ainsi cette femme Mbungu qui coupe, malgré les protestations des témoins, les cheveux et les ongles de sa sœur lors de son enterrement... pour fabriquer des remèdes !

La sorcellerie fait également intervenir la pensée analogique : notre bonne vieille sorcellerie de la Renaissance utilisait les boutons d'or pour guérir le foie parce que la bile est jaune, la noix pour soigner les céphalées parce que sa forme rappelle celle du cerveau, ou le crapaud pour favoriser les contractions utérines parce que l'utérus aurait la forme d'un crapaud.

Nous aurions tort de nous moquer, car notre cerveau archaïque est très sensible aux lois analogiques (processus primaire)... comme le savent parfaitement les publicistes !

Le sorcier utilise l'élan des pulsions et le corps éthérique.

Chamanisme et magie se situent sur un plan où la pensée

est plus élaborée. Mais, encore une fois, les trois peuvent être mêlés.

Tout guérisseur doit d'abord aller chercher la personne au niveau où elle se trouve. Si le malade est dans une sphère qui correspond à la sorcellerie, c'est celle-ci qui sera efficace. Il n'est pas question de porter de jugement.

Kashindyé, le guérisseur tanzanien

L'Occident a brûlé ses sorciers.

Tant pis pour lui, cela le prive d'une "science" ancienne de la guérison;

Tant mieux pour lui, cela lui évite les angoisses et les paranoïas que provoque la croyance à ces phénomènes.

Notre propos n'est pas de nier qu'ils existent, au contraire. Il s'agit plutôt de les envisager comme des phénomènes produits par les mécanismes subtils de notre Conscience.

Les témoignages, les expériences et les souvenirs de sorcellerie liés à l'Afrique sont très nombreux. Un chercheur américain des années 1920 a raconté son initiation au sein de la très secrète *Loge des Hommes Serpents* (Afrique de l'Est). Son témoignage est passionnant.[1]

Nos Pères Blancs, en contact avec les réalités africaines, ont compris l'importance du guérisseur-féticheur, et se sont souvent liés d'amitié avec lui. J'ai donc interrogé l'un de mes amis, le Révérend Père Fouquer, aumonier de la deuxième DB, confident pendant trois ans du général Leclerc, et Père Blanc. L'histoire dont il fait le récit se situe dans les années 1950-60, près du Lac Victoria :

"Kashindyé était le plus grand des féticheurs de la tribu des Basukuma : une tribu du peuple Bantou d'un million cinq cent mille âmes - réparties en arc de cercle autour de la côte Sud du Lac Victoria, et sur deux cent cinquante kilomètres en profondeur vers le sud - la plus importante des cent quarante ethnies que comprend la Tanzanie.

"Kashindyé habitait Myéguesi, un centre important à soixante kilomètres au sud de Mwanza, capitale des Basukuma, et l'une des principales villes de Tanzanie. Il avait vu

---

1 *"L'Empire des Serpents"*, Adamson et Carnochen, Ed. Stock Nature.

se bâtir autour de sa "Thébaïde" un vaste hôpital que dirigeait une doctoresse hollandaise. Entre le féticheur et la doctoresse, les rapports étaient cordiaux et, quelle que fût la réputation de l'hôpital de la mission, en dernier recours les mêmes clients allaient consulter le féticheur. Même les chrétiens et les catéchumènes n'auraient jamais osé ne pas croire en son pouvoir, car si la doctoresse soignait bien ses malades, elle ne pouvait rien sur le monde au-delà du monde, celui où se trouvent les causalités essentielles et l'origine des angoisses. Ça, c'était le domaine de Kashindyé.

"Si bien qu'à l'hôpital, ils avaient pris l'habitude de faire avaler les médicaments sur place. Le soir, chez soi, on prenait avec grands soins les médicaments du féticheur. Ils avaient la supériorité de contenir, en plus de leur véritable valeur pharmacologique - ces médicaments ont été analysés par des scientifiques et se révèlent contenir souvent des hautes teneurs en minéraux -, des ingrédients tels que de la fiente de python, des morceaux de queue de lézard, de la poudre d'écaille de pangolin, dont l'aura magique était pour beaucoup dans la différence que faisaient les Africains. La doctoresse allait d'ailleurs volontiers bavarder avec lui, ce dont il tirait une grande fierté. Je manifestais moi aussi le désir de le rencontrer.

"Kashindyé possédait un vaste territoire à l'intérieur d'un bois d'épineux, de baobabs, et de cactus aux formes tourmentées et oppressantes. L'entrée de sa résidence était constituée par une porte étroite entre deux piliers servant de glissière à de lourds panneaux de bois. Ouvrir le passage était un travail de force ! La première cours intérieure était totalement nue, trente mètres séparant la première enceinte de la seconde, moins haute. Même style d'ouverture, mais décalée par rapport à la première, car cet espace était rempli d'esprits mauvais qui ne demandaient qu'à s'infiltrer. Aussi le sol était-il encombré de talismans : on apercevait des calebasses sacrées servant aux libations, de minuscules cases où résidaient les Esprits des ancêtres et des Esprits protecteurs. La deuxième porte n'était franchie qu'en compagnie du Maître.

"Le jour de ma visite (il regarda d'ailleurs d'un très mauvais œil mon appareil photo), il était drapé dans une vaste toge colorée. Il m'apparut comme un homme de haute stature, âgé de quarante cinq à cinquante ans. Sa tête était coiffée de tresses au bout desquelles pendaient des talismans :

coquillages divers, écailles, peaux. Il portait sur la poitrine le collier orné d'un coquillage de l'Océan Indien, symbole de la dignité et du pouvoir des rois et des grands féticheurs depuis des siècles (on en a retrouvés dans des tombes royales en Rhodésie, datant de 1400 ans).

"Il avait des bracelets aux bras et aux jambes, et quand il se déplaçait cela tintinnabulait de partout.

"Maintenant que nous avions franchi la deuxième porte, nous débouchions sur une cour plantée d'arbres, cette fois. C'était un vrai labyrinthe, avec des haches dans les troncs d'arbre, dont le tranchant, qui ressortait de 20 cm, obligeait l'itinérant à se déplacer avec prudence. Les ennemis de Kashindyé appartenaient au monde invisible, il en éprouvait sensiblement la présence, et de temps à autre je le voyais faire un petit crochet comme s'il allait buter sur l'un d'eux, égaré sur le sentier. Cela devenait hallucinant, même pour l'esprit sceptique que j'étais censé être.

"Alors que nous passions une troisième palissade et arrivions dans une petite cour bien entretenue avec sa case, plus vaste que la case que l'on voit habituellement dans les villages, il me fit entrer. Elle était remplie de meubles, de peaux de lions et de léopards. Il y en avait sur ce qui devait être son trône, en face duquel il me fit asseoir.

"Il me laissa faire des photos, répondit brièvement à mes questions, m'énuméra quelques reliques et me reconduisit poliment, majestueusement et sobrement, vers la sortie.

"Kashindyé était un guérisseur : il faisait de la magie blanche. Naguère, dans l'Est Africain, un praticien soupçonné de magie noire était mis à mort dans de terribles conditions : on pouvait le crucifier au sol, ses filles ne trouvaient plus de mari... Le terrible dans l'affaire tenait au fait que dans ces conditions de vie difficiles, où la superstition trouvait des voies faciles et où la peur exacerbait les sentiments de méfiance, de jalousie, de désir de vengeance, le soupçon devenait facile et les victimes étaient parfois innocentes.

"En revanche, le guérisseur, héritier d'une tradition, initié aux plantes et autres remèdes, était un personnage craint et respecté. Certains d'entre eux, aujourd'hui encore, sont initiés aux venins, et j'ai vu d'inexplicables réussites chez les guérisseurs de la société des Hommes Serpents.

"Il y a guérisseurs, féticheurs, devins et forgerons...

"Le féticheur saura vous fabriquer le bracelet de peau, la ceinture, ou le collier qui vous protégera. J'ai connu comme cela un féticheur spécialisé dans la protection contre les lions. Un matin, on découvrit ses restes mangés par un lion. On fut étonné, mais on l'expliqua en disant que le lion ne savait pas à qui il s'attaquait.

"La sorcellerie englobe tout ce qui touche à l'homme : on ne cultive pas avant que le sorcier n'en donne la permission. Chaque acte important de la vie - mariage, chasse, construction, cultures, sexualité - est précédé de sacrifice (un taureau noir pour la pluie, en rapport avec la noirceur des nuages, par exemple), de bénédiction, d'oblations. Il y a aussi de nombreux tabous : on ne mange pas de l'animal dont la peau rappelle la lèpre, ou toute autre source de négativité...

"Comment devient-on sorcier ?

"On devient un homme des relations avec "l'au-delà des apparences" par hérédité. Le sorcier choisit le disciple qu'il instruira de ses secrets dans sa famille. Il peut aussi enseigner un élève qui en manifeste le désir. L'instruction prendra des années, l'initiation est progressive : on lui enseignera la technique des rapports avec les solliciteurs, une connaissance exhaustive du monde des esprits de tel clan ou tel peuple, l'histoire et la généalogie des rois, des grands féticheurs, leurs lois, leurs conseils, leurs règles de vie, leur ascétisme.

"Outre cette formation dans l'ordre traditionnel du ministère est donnée aussi une initiation que l'on peut considérer d'ordre extatique, pour maîtriser le passage du monde des apparences au monde au-delà des apparences. Comme le mystique, le sorcier manifeste sa relation avec le monde des Esprits par un goût du silence, de la solitude, par la singularité de son comportement. Il est possédé par d'autres soucis que de montrer ce qu'il sait faire.

"Mais revenons à Kashindyé. Lors de ma visite, j'ai pu remarquer combien son ministère l'obligeait à se barder de protections. Un jour, il tomba malade et dut solliciter les soins de son amie la doctoresse. Elle l'hospitalisa, à son grand désespoir car il se retrouvait dans ce nouvel univers sans ses protections habituelles. La doctoresse concéda quelques armes spirituelles dans la chambre. Il fallut l'opérer ! Une opération bénigne, mais il fallait déjà l'affronter; quand, pour les besoins de l'asepsie, il se retrouva nu sans la protection de ses *talismans, Kashindyé pleura. Le voyant si fragile et si malheureux, son amie autorisa deux bracelets, probablement aseptisés, en sorte que Kashindyé se coucha sur la table d'opération et s'endormit bienheureux. Il se réveilla, guéri, et rentra chez lui.*

"Malgré tout, longtemps après, le grand féticheur pour qui rien n'était vrai "qu'au-delà des apparences", mourut chrétien..."

La morale de cette histoire ne nous appartient pas, mais il est intéressant de voir combien l'univers du sorcier, éduqué pour être le guerrier qui combat les formes-pensées négatives, véritables forces dont il a pris conscience tout au long de son initiation, est difficile et angoissant s'il ne peut pas se protéger avec les talismans, véritables contre-poisons, qu'il a soigneusement conçus. Kashindyé n'avait pas peur de la mort : il craignait bien davantage le rapt des Esprits mauvais.

L'esprit de cet homme était formé de telle façon qu'il était obligé, par le monde des Esprits, de fonctionner comme quelqu'un qui est atteint d'une névrose obsessionnelle.

Remarque importante : le véritable névrosé ne soigne pas, il se fait soigner...

CHAPITRE XV

LE MAGNÉTISME MERCURIEN

"En remontant de l'atome à la molécule,
de la molécule à l'amas nébuleux,
de l'amas nébuleux à la nébuleuse,
de la nébuleuse à l'étoile principale,
de l'étoile principale au soleil,
du soleil à la planète,
et de la planète au satellite,
on a toute une série de transformations
subies par les corps célestes
depuis les premiers jours du monde."

Jules Verne
(De la Terre à la Lune)

Nous sommes encore, à ce niveau, dans l'espace *"astral"*, l'espace psychique. Par le biais de la Lune et de la sorcellerie, nous avons abordé le fonctionnement pulsionnel; avec Mercure et la magie, nous privilégions l'exigence de la forme. C'est pourquoi on en parle comme de *"l'art magique"*.

Il nous faut insister une fois encore sur le fait que nous parlons ici de techniques de guérison, c'est-à-dire de l'utilisation de ces forces à des fins positives : la sorcellerie, rappelons-le, est aussi utilisée à des fins thérapeutiques.

Intéressons-nous maintenant à l'archétype mercurien.

Le principe de Mercure

Mercure (Hermès) est le dieu messager, rapide, aérien, habile, ambigu, rusé. Les principes de son énergie sont en analogie avec le fonctionnement de la partie mentale de la psyché : le petit ordinateur.

Un ordinateur n'a pas de vague à l'âme, il se met tout au plus en panne avec certaines personnes... Mercure est un principe *"sec"*. Avec lui, pas de sentiment : de la rigueur, de la rectitude ! Son habileté et son petit côté joueur n'ont rien à voir avec le *"laisser aller"*, ils relèvent au contraire de l'extrême calcul dans l'enchaînement. C'est de l'art.

L'énergie mercurienne n'est pas une énergie qui coule comme celle de Vénus; elle est rapide, sèche, précise, intelligente et cherche avant tout à remplir son objectif. Cet aspect, qui privilégie l'efficacité au sentiment, lui vaut de parrainer les voleurs. On peut supposer que c'est son ambiguïté fondamentale qui nous fait saisir l'énergie tantôt sous la forme d'une particule, tantôt sous un aspect ondulatoire.

Nous comprenons petit à petit que derrière un mythe se cachent des enseignements qui nous donnent à lire les grandes lois macrocosmiques et microcosmiques. Un art implique qu'une inspiration passe par les mystères et les impératifs du ciseau, du pinceau ou de la gamme... afin que les principes d'harmonie et d'intégration soient révélés.

Telle est la symbolique de l'hermaphrodite mercurien, qui intègre la dualité et la sublime en une essence parfaite. Ces exigences de l'art magique par lesquelles passent les élans de l'inspiration, donnent la perfection et l'efficacité du rituel. Mais ce dernier doit également se nourrir des pouvoirs de l'émotion, sous peine de n'avoir aucune force : nous voyons des Eglises désaffectées, par un excès de rigueur, par irrespect de la structure du rituel, ou par excès de miséricorde.

Mercure possède les clés : symboles, rituels et mots du pouvoir. Voilà pourquoi nous associons au principe mercurien les guérisons qui mettent l'accent sur le rituel, plutôt que l'utilisation des forces de la nature, du corps, de l'émotion ou de l'image.

Le guérisseur magicien

Plutôt magicien que sorcier ou chaman, l'homme occidental tend, par son histoire, à privilégier l'aspect magique dans sa pratique de guérison. Autrefois sorcier, mais échaudé par quelques mauvaises expériences, il a sublimé sa pratique et lui a donné ses lettres de noblesse en passant par les textes hermétiques ou la scolastique religieuse : *"Au cours de l'histoire de l'Occident chrétien, la sorcellerie a été contaminée par la démonologie : les Européens ont donc été conditionnés, de façon compréhensible mais peut-être injustifiée, à considérer des sorciers comme des incarnations du mal."*[1]

Le passage des forces de la Nature vénusienne et lunaire à la rigueur de Mercure, et les égarements négatifs qui ont initié ce changement, font que les connaissances sur l'art magique de la guérison sont :

• ou bien totalement dévoilées, parce que présentées sous un autre aspect; nous les reconnaissons dans l'enseignement du catéchisme : on ne sacrifie plus un poulet à la divinité locale, mais on va dans la petite chapelle allumer un cierge à Saint Antoine, Saint Laurent ou Saint Polycarpe.

Nos Saints se sont assis sur les divinités tout comme Notre-Dame de Paris s'est édifiée sur un lieu de culte celtique. *"La caractéristique essentielle du paganisme était d'être étroitement relié à la Grande Matrice Cosmique où s'inscrivent, pour prendre forme et consistance, les actes à venir. A ses origines, le christianisme était profondément naturel et s'insérait dans la lignée du Grand courant Traditionnel. Par ses aspects ésotériques, il ne se distinguait pas des autres cultes et notamment de l'Orphisme ou même du Mithraïsme avec lesquels il présentait de singulières analogies."*(ibid) ;

• ou bien totalement hermétiques, comme peut l'être la science d'Hermès, c'est-à-dire inaccessible à celui qui ne perçoit pas l'effort qu'il faut fournir pour en connaître les arcanes.

Cet art se révèle, par les grands textes et par les mythes, à celui qui maîtrise le langage des symboles.

Le guérisseur magicien est par excellence l'alchimiste. Alchimie vient de *"Khemia"*, nom que les Grecs anciens donnaient à l'Egypte - Terre noire - et de *"Al"*, préfixe désignant Dieu. L'alchimie est donc la *"chimie de Dieu"*, et non l'ancêtre de la chimie des souffleurs, comme on le croit trop souvent.

L'alchimiste provoque la transmutation de la matière en l'accompagnant par le dedans : *"Il plonge au cœur de la matière comme il pénètre au cœur de son être. Il l'aborde dans sa structure essentielle par-delà les particules et les microparticules atomiques... La matière n'est que de l'Esprit vibrant à un rythme plus lourd."*

---

1 Jean Haab, *"L'Alphabet des dieux"*, Ed. Jean Haab, distribution Dauphin.

L'alchimiste part donc du principe que l'Esprit est enfermé dans la matière - d'où l'origine symbolique de l'enchantement que nous retrouvons dans les contes qui sont des textes alchimiques. L'alchimiste estime aussi qu'il est possible d'en libérer la quintessence par deux opérations sur les principes du soufre, du mercure et du sel, répétées jusqu'à satisfaction, et qui sont : la séparation ou *"solve"* et le rassemblement ou *"coagula"*.

D'où cette fameuse transformation du plomb en or. L'alchimiste prend la conscience alors enfermée dans la matière, lourde comme le plomb de Saturne, et il en suscite la transmutation, parallèlement à la sienne propre, jusqu'au niveau solaire : l'or du Soleil. Au cours de ces opérations, l'alchimiste rectifie et accélère un processus d'évolution naturel, tout comme le magnétisme accélère une évolution. Il "hisse" non seulement l'Esprit (ce que nous voyons dans la méditation), mais aussi l'âme et le corps - le principe du corps, le sel - au niveau solaire. La transmutation est un changement physique de la matière, de façon concomitante avec l'Esprit.

Comme toutes les voies spirituelles, l'alchimie n'est pas sans danger. Elle mériterait qu'on lui porte aujourd'hui un peu plus d'intérêt, car elle seule renferme des secrets dont l'humanité aurait bien besoin dans sa mutation actuelle.

L'alchimiste provoque des transmutations sur le plan minéral, accélère la pousse des plantes, rétablit la santé et le contact spirituel sur le plan humain. C'est le guérisseur hermétique qui fabrique des élixirs en respectant les principes archétypes.

La Théurgie

La Théurgie possède d'importants rituels de guérison. Elle opère par l'invocation de noms de pouvoir et mobilise d'énormes énergies que le magicien doit savoir maîtriser. Ce qui exige de lui un équilibre et une force extraordinaire, ainsi qu'une certaine clarté de son inconscient...

Les énergies invoquées étant d'un autre niveau que celui de Mercure, nous ne nous attarderons pas sur ce sujet.

Précisons toutefois que toute opération exige de l'opérateur : intelligence, habileté, pureté, maîtrise. Cela vaut surtout pour les opérations qui impliquent une "descente artificielle des forces". L'opération se fait à ses propres risques, car ces forces opèrent comme des forces physiques : si le physicien travaille sur l'atome, il respecte certaines modalités pour sa sauvegarde et le succès de son opération. Il en va de même en Théurgie. Ces lois sont comme le glaive de la Justice du Tarot, elles agissent conformément à leur propre nature. Ce n'est pas une affaire de sentiment. C'est pourquoi cette tradition, fort justement, reste secrète.

La rigueur, la précision, et la "mentalisation" de Mercure sont nécessaires dans tout travail de guérison astrale. Ces aspects prendront plus ou moins le pas sur les aspects lunaires ou vénusiens, que nous allons maintenant examiner.

CHAPITRE XVI

LE MAGNÉTISME VÉNUSIEN

"Certaines sculptures paraissent toujours prêtes à sortir de leur immobilité. Et, pour peu, l'on ne s'étonnerait pas de les voir changer de condition"
François Bott, *"Les miroirs feraient bien de réfléchir"*
(Carnets, Ed. Plon)

Le principe de Vénus

A l'opposé de Mercure, sphère de la forme, de l'intellect et du savoir, Vénus est l'univers de la force, des émotions, des instincts et de la créativité.

C'est en Vénus que l'œil humain habille ses Dieux des atours qui lui sont familiers, qu'il leur attribue un aspect concret et proche des humains, car jusqu'à présent les entités restaient abstraites : *"Nous voyons ainsi que tout être céleste conçu par l'esprit de l'homme a pour base une foi naturelle, mais que sur la base de cette force, une image symbolique est construite qui lui correspond et la représente, qui est animée et rendue active par le jeu de cette force elle-même. L'image n'est qu'un mode de représentation adopté par l'esprit humain pour ses fins, mais la force qu'elle représente et qui en est l'âme, est une puissance très réelle, en effet, et dans certains cas très puissante. En d'autres termes, bien que la forme apparente des dieux soit due à notre imagination, la force qui lui est associée est à la fois réelle et active."*[1]

Ces dieux peuvent désormais intervenir plus efficacement. Ils sont perçus comme *"extérieurs"* tant que nous n'arrivons pas au niveau de guérison solaire; le chamanisme est la pratique la plus perfectionnée pour converser avec ces entités et pour établir un lien entre elles, le corps de la victime et le chaman.

En Vénus, les symboles sont devenus plus concrets : on les incarne dans les objets talismaniques. Le rôle de la danse,

1 Dion Fortune, *"La Cabale mystique"*, Ed. Adyar.

des couleurs, de la musique, est également essentiel; toutes ces manifestations contribuent à relier le monde des humains à celui des Entités. Nous connaissons aussi l'importance du sacrifice, qui attire la substance éthérique de la manifestation.

Vénus correspond aux forces de la Nature. Le chaman entre en contact avec ces forces à travers l'esprit des éléments. Il existe toujours une hiérarchie d'Esprits : en Vénus, ce sont des forces pures. Au niveau de la Terre, le visionnaire les perçoit sous forme de gnomes (terre), elfes (air), ondines (eau) et salamandres (feu).

Vénus est un principe de beauté, d'harmonie, de créativité : c'est l'essence même du contact avec notre profondeur. Sur le plan de la transcendance, il se situe entre Mercure et le Soleil. Il confère les qualités de foi et d'élan joyeux dans toute entreprise.

Le chaman

"Ce soir j'agis pour une personne de ma connaissance dont l'âme menace de quitter le corps. Il faut que j'aille arracher cette âme - du moins essayer - au Démon ou au groupe de Démons qui la retiennent prisonnière. Il faut donc que je descende vers les régions infernales..." Mario Mercier nous raconte comment il se prépare pour le voyage chamanique dont il connaît les dangers : *"Les voyages chamaniques, qu'ils soient orientés vers le Bas, le Milieu ou le Haut, exigent une énorme dépense d'influx psychique et physique."*[1]

Puis il prononce des incantations, rassemble ses forces, bat le tambour, chante et sollicite la faveur des Esprits alliés. Progressivement, il entre en transe par les chemins qu'il a déjà empruntés, prêtant son corps à ces forces étranges à travers lesquelles l'imaginaire et l'inimaginable communiquent... *"Je fais appel à l'Esprit de mon Serpent protecteur dont les anneaux s'enroulent six fois autour de mon corps. Une lumière fulgurante traverse ma tête de bas en haut... quelque chose de froid et de visqueux me frôle le visage, glisse sur mon cou et se faufile sur ma poitrine..."*

Ainsi débute l'aventure d'un chaman français dans le monde des Esprits. Il n'ignore rien des risques encourus : il

1 *"Chamanisme et chamans"*, opus cité.

sait qu'on n'est jamais très sûr d'en revenir entier.

Le chaman est courageux. C'est un guérisseur qui se déplace dans le monde des Esprits et qui va "marchander" avec eux le bénéfice d'une action en faveur d'un malade.

Longtemps ignoré ou méprisé par les populations occidentales, le chamanisme suscite de nos jours un regain d'intérêt chez ceux qui sont chargés d'aider les autres. Il opère avec les dimensions sacrées du corps et de la nature, dont nous comprenons à nouveau l'étroite et vitale imbrication.

• *"Mais, comment vous, occidental et chrétien, pouvez-vous croire à de telles balivernes ?"*
• *"Ma foi, cela m'arrive de demander à Saint Antoine un petit coup de main. Saint Expédit ne m'ignore pas toujours ; quant au chaman, nous avons l'équivalent avec nos exorcistes."*

Dialogue banal. Le chaman n'a pas de dogmes, pas d'écritures qu'il serait possible d'interpréter de travers pour pouvoir se livrer à des guerres de religion. C'est un homme de terrain.

Curieux, cet intérêt qu'ont les hommes pour les querelles de chapelle, toujours prêts à jeter l'anathème sur tous ceux qui ne partagent pas les mêmes mots !

Les Dieux, Entités, Esprits et Démons

Les dieux seront strictement les mêmes sur la Terre entière tant que les hommes resteront identiques. On retrouve une configuration unique quel que soit le Panthéon.

A l'Origine, un Dieu unique - Laoué, ou Art-Toïon-Aga, divinité des chamans sibériens, père et chef du Monde - source de toute énergie, inconnaissable et ma foi bien éloigné des hommes qui ont à se battre pour survivre.

Puis viennent les dieux - ou nos archanges. Eux aussi sont trop occupés par leurs affaires pour se pencher sur la créature humaine ; leur terrain de prédilection, ce sont les forces planétaires.

Viennent ensuite, tout en bas de la hiérarchie, les assistants ou Esprits, qui sont beaucoup plus proches des émotions et des désirs des hommes. Ils peuvent les assister ou intercéder en leur faveur auprès des grandes Entités : par leur fonction, ils ressemblent à nos Saints.

Ce modèle hiérarchique admet tous les Panthéons.

L'évolution de la conscience planétaire veut qu'à certaines ères, une qualité de force prédomine en tant que force salvatrice. Ainsi, nous avons eu le Christ pour nous faire comprendre que Dieu avait du cœur. Il y eut bien d'autres grands Maîtres[1]

Le chaman objective le monde imaginaire, sachant que ce n'est que l'envers du miroir de la réalité partagée. C'est un grand psychanalyste qui opère au niveau mental et au niveau de la matière. Les forces malignes de l'âme, du groupe d'âmes, de tout égrégore... sont pour lui des entités. Il n'en oublie pas pour autant que ce sont des manifestations du psychisme. Il ne fait pas un délire paranoïaque quand il va lutter contre un Démon pour récupérer l'âme perdue d'un homme. Ces entités sont tout aussi redoutables que nos maladies psychologiques et physiques puisqu'elles en sont l'esprit : le chaman opère à travers l'esprit de la chose.

S'il fait un voyage, c'est un voyage en esprit; s'il délivre une âme en l'échangeant contre un sacrifice, c'est l'esprit du sacrifice (le prana du sang) qu'il transfère dans ces mondes; s'il lutte contre un Démon, c'est l'esprit de la maladie qu'il a devant lui... mais quel esprit ! Leurs forces sont redoutables. Il est donc nécessaire d'être pur et de bien connaître les replis de sa propre psyché pour ne pas se laisser piéger.

Quelle réalité ont ces divinités ? *"D'un certain point de vue, toutes ces divinités existent, répondait récemment un Lama tibétain à un visiteur occidental éclairé, mais d'un autre côté, elles n'ont pas de réalité"*

"Toutes les Déités représentées ne sont que les symboles des divers phénomènes qui se produisent sur la voie."[2]

La descente aux Enfers

Comme tout mystique, le chaman acquiert cette maîtrise dans la souffrance. Nous trouverons de troublantes analogies entre les macérations de nos saints et l'initiation du chaman.

Souvent choisi parce qu'il présente une *"fragilité"*, l'apprenti chaman doit être soumis aux épreuves de l'initiation, dans lesquelles il peut laisser la vie. Il descend jusqu'aux Enfers.

1 Lire *"Les grands initiés"*, d'Edouard Shouré.
2 *"Les héros sont éternels"*, Joseph Cambell, Ed. Seghers.

En psychanalyse, cet espace infernal de la psyché est appelé *"noyau psychotique"*. La psychanalyse procède comme l'initiation (Freud, à l'origine, demandait une certaine forme d'abstinence). Elle est une initiation, sans la dimension corporelle.

Ce démembrement initiatique, dans lequel le chaman se voit et se sent mis en pièce par des figures effrayantes, est ainsi relaté par Mario Mercier : *"Il assiste d'abord à la mise en pièce de son corps par les Démons qui lui tranchent la tête, arrachent ses yeux, ses viscères, ses organes vitaux, le débitent en tranches comme un animal de boucherie."*[1]

A la différence de la psychanalyse, la magie du processus permet à l'apprenti de retirer des forces énergétiques qui seront tout aussi opérantes pour aider l'autre dans le plan de la matière. Les psychanalystes ne comprennent pas la magie parce qu'ils confondent les forces du processus primaire avec les forces acquises par une ascèse et une maîtrise des pulsions (qu'ils confondent avec des processus masochistes). Ils confondent le haut et le bas de l'échelle, ou les deux côtés du miroir. Pensée magique et inconscient sont les réponses toutes faites données aux questions déconcertantes sur les prodiges, comme si la pensée magique, celle-la même que l'on attribue aux malades psychosomatiques, avait des pouvoirs de guérison.

Il semble que, par la physique ou les mathématiques, nous puissions bientôt comprendre la réalité de l'envers du miroir. L'ascèse, quelle qu'elle soit, - il existe un type d'ascèse qui consiste à gaver tous les sens à seule fin de pouvoir s'en détacher - est la seule solution que l'homme a trouvée jusqu'à présent pour ne plus se laisser gouverner par le monde des sens, des désirs et des besoins reliés aux sens (première *Nuit Obscure* de l'âme, décrite par Saint Jean de la Croix), afin de s'élever au-dessus des contingences de l'espace-temps de la matière et d'opérer sur d'autres réalités.

Pourquoi ce besoin ? Un ami, journaliste de radio, me fit remarquer un jour que le mystique est un *"inadapté"*. J'ai longuement médité sur cette question, et je crois pouvoir lui répondre aujourd'hui, ainsi qu'à tous ceux qui partagent son opinion, que beaucoup de mystiques ont été de grands Epicuriens, qui ont tout connu des plaisirs de la vie (richesse,

---

1 "Chamanisme et chamans", opus. cité). Les traditions en parlent comme d'une descente dans les Enfers où l'adepte se retrouve face à lui-même sans ses illusions et sans sa pelure narcissique.

renommée, succès auprès des hommes ou des femmes, postes importants...) avant de s'imposer une discipline de fer. Ils ont eu l'intuition - on parle de *"l'appel du héros"* dans les mythes - qu'il existe une autre réalité. Ce n'est donc pas par une quelconque inadaptation, mais bien par intuition d'une dimension différente et tout aussi réelle que le mystique opère sa transformation. C'est un choix de vie.

Par sa magie, le chaman existe aussi bien de l'autre côté du miroir qu'en-deçà : dans cette sphère d'un autre niveau, il risque beaucoup. A cheval sur son imaginaire, il envoie sa chair dans l'autre monde, même si, au regard de l'ignorant son corps est là, étendu comme mort. Castaneda nomme *"Nagual"* ce monde dans lequel opère le chaman. Dans cet univers, il n'a pas intérêt à se laisser maîtriser : c'est lui qui chevauche les Entités !

Il y a des chamans dans le monde entier. Il s'agit d'une pratique universelle puisque naturelle. Elle est si proche de la sorcellerie, que l'on pourrait les confondre. Mais on trouve dans le chamanisme une dimension religieuse et sacrée. Sur le plan humain, c'est une pratique de guérison par le nettoyage de tous les corps : physique, éthérique, astral, spirituel... y compris aussi du corps social qui entoure le malade.

Un Ndœp près de Dakar

On nous avait demandé d'être à neuf heures du matin au lieu de rendez-vous. En Français bien obéissants, nous y étions à neuf heures et quart. Les minutes, les heures africaines n'ont rien à voir avec celles que nous connaissons en Europe : chez nous, nous "mangeons" les heures pour mieux nous en débarrasser; en Afrique, on s'en délecte... ça prend plus de temps !

Notre petit groupe a attendu dans une petite cour d'environ soixante mètres carrés, en compagnie d'une nombreuse assemblée de frères, de sœurs, de mères, de pères ou d'oncles, d'amis et de villageois venus participer au rituel de guérison de trois jeunes filles.

La veille, nous avions assisté à une partie de ce rituel qui s'était terminée par une transe. A cette occasion, nous avions pu *"toucher du doigt"* les énormes forces en présence - inimaginables si on ne l'expérimente, ne serait-ce qu'un centième de seconde - et l'extraordinaire intelligence de Fatou Sek, la prêtresse guérisseuse qui dirigeait la cérémonie.

Notre attente prit fin vers midi. Entre temps, des danses au son des tambours avaient rassemblé les participants. Enfin, la colonne s'ébranla à travers le village, précédée par le zébu destiné au sacrifice.

En fait, la cérémonie avait débuté plusieurs jours auparavant. Mais bien des aspects ne nous ont pas été révélés, ce qui était tout à fait naturel. Notre propos n'est pas ici de faire une description ethnographique du rituel, mais une relation plutôt *"vénusienne"*.

Car l'aspect vénusien me sauta aux yeux dès notre arrivée : l'assemblée était resplendissante de couleurs. Les griots (compagnie à la fois sociale et initiatique, qui pourrait correspondre à nos anciens ménéstrels) avaient commencé à chercher les rythmes avec leur tambour. Des femmes sortaient de l'assistance - les malades, vêtues de blanc; d'autres, parées de leur boubous colorés - et venaient se placer au centre du cercle, entamant une danse rapide et tournoyante.

A chaque Esprit correspondait un rythme. Une transe éclata sur l'un d'eux. Aussitôt Fatou Seck identifia l'esprit de la maladie qui chevauchait la jeune fille en transe.

Depuis ce voyage, tous ceux qui ont vécu ce rituel comprennent mieux l'importance du tambour, la relation entre le rythme et les caractéristiques de l'Entité qui s'y reconnaît. La musique, en chamanisme, induit non seulement la transe : elle est très codée et sert de langage *entre les Esprits et les hommes.*

Mais revenons à notre colonne bigarrée qui se dirigeait vers le bord de la mer.

Là, un emplacement semblait avoir été préparé pour accueillir la cérémonie. L'animal fut attaché à un arbre. L'arbre était-il un "axe du monde" comme chez le chaman sibérien ? Probablement.

Les danses qui suivirent étaient accompagnées d'incantations auxquelles les assistantes de Fatou Sek prenaient part. Il n'y avait là rien de sacré cependant : on m'y invita, en me recouvrant du boubou traditionnel.

Puis vint le moment du *transfert*. On coucha le bœuf - étrangement consentant - sur le côté. Après quoi, les trois jeunes malades furent invitées à s'asseoir sur lui. Le tout fut ensuite "emballé" sous de multiples épaisseurs de couvertures, qui nous firent craindre pour la santé des malades, car la danse et les incantations reprirent pendant près d'une demi-heure. Il s'agissait de transférer l'entité négative sur l'animal.

Par la suite, l'animal fut conduit au bord de la mer. Là, on le sacrifia en lui tranchant la gorge. Il ne manifesta rien. Par une étrange coïncidence, ma caméra tomba en panne à ce moment précis.

La chair de l'animal fut rapidement découpée. Les restes furent éparpillés sur les rochers qui entourent la petite baie où se terminait la cérémonie. En divers endroits, l'offrande était accompagnée de prières, probablement aux Esprits de l'eau.

Un grand festin à base de riz brisé vint clôturer le rituel autour des malades.

Le Ndœp concentre toutes les caractéristiques d'un rituel chamanique : l'appel des Esprits, leur identification, les incantations et les prières, le transfert de la maladie sur l'animal, la musique et la danse, le sacrifice enfin.

La fonction du sacrifice caractérise ces niveaux de guérison supérieurs : le mal est d'abord transféré sur l'animal. Il serait possible d'en rester là : nous serions alors dans la sorcellerie, où il y a simple transfert des forces, où l'on ne se préoccupe pas des lois d'harmonie qui réclament une compensation quelconque. Mais le but du sacrifice est de rendre sacré. L'énergie négative est *"invitée"* à se sublimer. Elle est alors transformée en énergie positive. Le malade voue un culte à cette énergie, reste en contact avec elle, se retrouve jusque dans ses rêves qui la préviennent de ses besoins. Un petit autel lui est consacré et des offrandes lui sont données. L'ex-malade entretient alors avec cette Entité, qui fut un temps négative pour lui, les rapports les plus cordiaux.

Nous ne connaissons rien des *"marchandages"* entre la prêtresse et les Entités, comme ils se pratiquent chez le chaman sibérien ou indien. Mais nous savons avec certitude que cette partie du rituel existe.

Une énergie est négative parce que nous ne lui donnons pas l'accès qu'elle réclame à notre conscience. Le chaman sait très bien qu'il est en notre pouvoir d'en inverser l'énergie. Ainsi *Oulou-Toïon*, le *"Tout puissant Seigneur de l'Infini"*, régnant sur des légions d'Esprits mauvais, redoutable grand Dieu noir de l'Ouest, ne cherche pas à faire de mal. Il réside vers l'occident où sont réunis les Dieux bienfaisants.[1]

Les énergies négatives sont toutes ces parties divines de nous-mêmes que nous laissons emmurées dans notre conscience inconsciente; nous ne les voyons qu'en fonction de ce que notre évolution est capable de nous montrer. Ainsi, nous ne percevons souvent notre *"Divin Ange gardien"* que sous la forme d'entités négatives : maladies, blocages énergétiques, peurs...

Cet Ange gardien est notre conscience du niveau solaire.

La marche sur le feu

L'intérêt de ce rituel réside-t-il vraiment dans la possibilité de vaincre le feu ?

La nouvelle idéologie japonaise du cadre dynamique et efficace, à l'épreuve de tout, tendrait à nous faire croire que ce très ancien rituel de purification est une pratique de défi; c'est du moins ainsi que sont présentées certaines sessions de "marche sur le feu".

La marche sur le feu est un rituel chamanique qui met l'homme en relation avec l'élément feu et ses pouvoirs de purification. *"Il n'est pas un défi au feu."* insiste Jabrane Sebnat, Soufi et chaman. Ce serait un défi stupide, puisque ce n'est jamais que la partie feu en nous que nous traitons ainsi.

Le Maître du feu doit être un initié. Il sait qu'il n'y a pas que le feu réel qui peut brûler et tout dévorer. Une transmutation psychologique donnée par le feu intérieur, aussi intense, doit être accompagnée par la bienveillance de l'Esprit du feu.

Le phénomène physique d'insensibilité peut tout aussi bien opérer si la marche est guidée par un laïc : les états de transe ne sont pas spécifiquement religieux. Néanmoins, l'intérêt de ce travail - tel que nous le concevons - réside dans le nettoyage de tous les corps, du physique au spirituel; si la dimension spirituelle est absente, le travail s'en trouve déséquilibré. Il y a alors risque, à un moment ou à un autre, ou bien d'être brûlé réellement ou bien d'être enflammé par le feu de la passion (qui pourrait ressembler à des états maniaques).

Malgré sa pratique de plus en plus répandue dans le champ laïc, beaucoup de personnes refusent toujours de croire qu'il est possible de marcher sur le feu. C'est pourtant tout

---

1 *Mario Mercier*, opus cité.

à fait réalisable, en pleine conscience, mais il faut être *"préparé"* à cet acte. Le champ de braises rougeoyantes (4 mètres de long) devient alors un tapis de velours, tout juste un peu piquant dans le dernier mètre ! On peut y repasser plusieurs fois, certaines personnes allant jusqu'à danser.

Si l'on observe attentivement, on remarquera que de petites cloques se forment parfois aux endroits du pied qui correspondent aux zones fragiles du corps du sujet. Par exemple, un intestin fragile a sa correspondance au centre de la plante du pied; si une cloque se forme après la marche sur le feu, ce signe est à prendre comme une ouverture permettant au travail de purification de se faire; on recommande alors d'inspirer mentalement le *"feu"* de cette cloque, puis de le faire monter vers le haut du corps, afin qu'il nettoie davantage encore l'organe fragile sur son passage.

Les transformations psychologiques sont importantes : le fait de marcher sur le feu ancre la mutation amorcée dans la préparation. Il peut y avoir des séminaires de marche sur le feu qui durent une soirée et une journée, d'autres où l'aspect psychologique est travaillé pendant plusieurs jours avant la marche.

Le travail chamanique revient en force en Europe, notamment grâce à la venue de quelques grands chamans d'Amérique du nord.

En France nous sommes plutôt *"à la traîne"*, comme en tout domaine qui demande une souplesse d'adaptation à la nouveauté. Notre mentalité tient trop à ses anciennes structures et ne voit pas le monde évoluer autour d'elle.

En revanche, tout le reste de l'Europe a intégré de nouvelles pratiques dans le monde de la guérison. Ces pratiques chamaniques (citons aussi *"sweet lodge"*, la retraite dans la grotte, et bien d'autres encore...) ont une action profonde sur la transformation de la personnalité et le nettoyage énergétique. Elles ont été adaptées à la mentalité actuelle par quelques véritables initiés qui ont su faire évoluer les rituels tout en gardant leur rigueur.

CHAPITRE XVII

LE MAGNÉTISME SOLAIRE

*"Si quelqu'un te raconte qu'il a vu
le Soleil, moque-toi de lui"*

Un vieux Maître

Nous voici à présent sur le sentier des mystiques. La psychologie méconnaît cet espace de la conscience humaine.

Avec l'Arbre de la Kabbale comme modèle, nous comprenons aisément pourquoi : la psychologie n'a appréhendé jusqu'à présent que les états de conscience liés aux émotions et à la sphère du mental discursif, c'est-à-dire l'espace de la personnalité, admirablement bien décrypté par Freud. Jung, pour sa part, a été le seul à explorer l'espace de *l'individualité.*

Le premier évolue entre la Terre (la matière) et la Lune (les émotions et l'imaginaire); le second se situe entre la Lune et le Soleil (la conscience). En termes ésotériques, le premier se réfère à l'astral lunaire (*la Maya*), l'autre à l'astral solaire (l'équivalent du supra-mental de Sri Aurobindo).

De nos jours, encore, la plupart des psychologues et des scientifiques sont de l'avis de Voltaire qui traitait les phénomènes mystiques de *"pure démence"*. Souvenons-nous de ce qu'il disait à propos de Marguerite-Marie Alacoque, mystique et visionnaire de Paray-le-Monial (1647-1690) : *"Il est encore des prophètes : nous en avions deux à Bicêtre en 1723 : l'un et l'autre se disaient Elie. On les fouetta, et n'en fut plus question."* Cet esprit sarcastique - qui caractérise le Français - freine toute appréhension de ce qui lui est supérieur. Montherlant s'en plaignait ainsi : *"Français. Ce qui n'est pas bas les étonne ou les exaspère".* Frédéric Ferney, Ed. Bourin.

Certains assimilent donc crise d'hystérie et états mystiques. Pourquoi ne pas admettre que chaque phénomène de la conscience s'appuie nécessairement sur du physiologique et sur du psychologique ? La transcendance consiste justement à dépasser ces limites tout en les intégrant. Elle est comme un retournement en doigt de gant. Encore faut-il être capable de le concevoir !

La transcendance n'est pas réductible à ce que l'observateur est capable de comprendre. Ainsi René Held définit-il l'extase : *"C'est un sentiment de félicité qui s'empare de certains sujets au cours de crises à tonalité hystérique et (ou) mystiques."* [1]

Force est de constater que Held ne comprend pas grand chose à la transcendance et à la sublimation.

Cela a toujours été le point faible des psychanalystes freudiens lorsqu'ils ont voulu approcher les œuvres d'art. Les essais de Freud sur Léonard de Vinci se résument à des tentatives vaines et toujours avortées pour saisir le fondement de l'art tout en le réduisant à ses propres conceptions de l'âme humaine ! Serait-ce là la raison pour laquelle les psychanalystes sont de si grands amateurs d'œuvres d'art ?

L'état mystique : une hallucination ?

Si l'état mystique n'est pas une hallucination, cela lui ressemble bigrement !

Envisageons alors la possibilité d'hallucinations à une octave supérieure...

Grâce à la boîte à images que nous possédons à l'intérieur de nous, nous aurons la possibilité, tout au long de notre vie, de traduire des *"vibrations"* en images (émotions, sensations...).

L'hallucination que nous rencontrons chez le nouveau-né, lorsqu'il a besoin de téter, est un phénomène régressif, que nous, nous pouvons détecter dans la psychose. L'individu de ce niveau n'a pas intégré l'unité de son sentiment d'être. Il se vit comme morcelé. Il n'a pas passé le stade que Jacques Lacan nomme le *"stade du miroir"*.

Le vrai mystique - il existe en effet des crises dites *"mystiques"* et qui, en réalité, sont des délires - a symbolisé sa relation à l'autre. C'est un individu qui est en mesure de fantasmer comme tout le monde, mais qui est aussi capable d'aller bien au-delà du fantasme (Jean de la Croix parle d'abandonner l'exercice inférieur des sens - l'imagination - et du raisonnement par lesquels on cherche Dieu d'une façon mesquine).

---

1 *"Métanoïa"*, Aimé Michel.

Il existe en effet un travail alchimique de l'image. Il atteint ce que Corbin appelle l'imaginal. L'imaginal serait comme l'imaginaire du symbolique. L'être qui fait ce chemin est tout simplement passé à un deuxième stade du miroir : cette fois-ci, ce ne sont pas les différentes parties de son corps et de son sentiment d'être qu'il voit en synthèse, dans le miroir et sous le regard de la mère, mais bien les différentes parties de son être spirituel, ses multiples couleurs qu'il saisit en intuition, et qu'il tente de rassembler : c'est le mythe d'Osiris.

La personnalité hystérique est tapageuse, certes, mais elle possède les qualités d'une sensibilité supérieure à la moyenne. Celle-ci se manifeste directement en impressions corporelles. L'hystérique traduit immédiatement dans son corps les impressions qu'une partie de lui reçoit : il fait un travail d'imprimante !

L'hystérique est en fait un grand médium ! Les mystiques manifestent ces dons médiumniques, mais leur Esprit est en contact avec des réalités plus élevées que les réalités de leur petite personne. Ils fabriquent quelque chose de leur médiumnité.

Les résistances d'un grand nombre de scientifiques à accepter la réalité mystique sont très compréhensibles. La première erreur consiste à ne pas envisager que ces états puissent être profondément humains (sans pour autant être ordinaires) et qu'ils ne concernent pas seulement la sphère du mental, mais le corps tout entier.

La deuxième erreur est de ne pas avoir la modestie d'accepter l'existence de phénomènes que nous ne comprenons pas encore.

La troisième erreur est d'avoir peur. Peur du vertige que nous contractons quand nous sommes face à des univers qui fonctionnent selon d'autres lois d'espace-temps que celles que nous connaissons.

Le principe du Soleil

Nous le comprenons sur le plan symbolique (le symbole est de même nature que le réel ; il est, selon nous, une mémoire sans la dimension du temps) quand nous comparons son rayonnement direct sur la Terre à son rayonnement différé par la Lune.

Cette incidence immédiate symbolise la pleine conscience, la lumière de l'Esprit, sa clarté. Si des civilisations aussi évoluées que celles des Egyptiens et des Aztèques en ont fait un Dieu, c'est précisément parce qu'ils ne considéraient pas uniquement le soleil comme un *"luminaire"*, mais bien davantage les forces spirituelles dont il est la meilleure représentation.

Quand nos professeurs d'histoire auront compris que les êtres qui vivaient sur la planète il y a 5 000 ans leur étaient supérieurs, nous aurons enfin la possibilité d'ouvrir l'esprit de nos enfants, de leur transmettre une vision plus édifiante de l'être humain.

Le Soleil symbolise la conscience claire, illuminée par les forces de l'intuition. En tant que "luminaire", le soleil est généreux : il est dispensateur de lumière, de chaleur et d'énergie. Sa correspondance logique dans le microcosme (l'homme) est le cœur qui dispense avec fidélité l'énergie du sang à l'ensemble du corps. Les sacrifices de sang appartiennnent à des rituels d'ordre solaire : il s'agit de capter l'énergie subtile qu'il transporte.

Si nous approfondissons la symbolique solaire transmise par l'Arbre des Séphiroth, nous verrons que ce luminaire occupe une place particulière, au centre de quatre planètes Sephiroth : Mars (Gueburah), Jupiter (Chesed), Mercure (Hod), Vénus (Netsah).

Il équilibre leurs énergies, celles d'en haut avec celles d'en bas, celles de la force avec celles de la forme : il transmute.

Son énergie est mystique. Placé entre des forces supérieures, dites divines (et dont l'homme ne perçoit que les ombres) et les forces psychiques qui sont attribuées à la Lune, le luminaire est l'espace premier de la conscience - personnelle et cosmique - où peuvent s'incarner les forces divines. C'est pourquoi l'on dit, dans la dimension évangélique, qu'il est le niveau d'incarnation christique, l'état de suprême perfection spirituelle que l'homme puisse atteindre de son vivant.

L'homme qui accède à cet état spirituel se distingue malgré lui par les prodiges qu'il déclenche. Il est guérisseur, car il a sur la matière un pouvoir de transmutation qui se passe de tout rituel et de toute invocation de forces. L'humanité a produit quelques grands maîtres de cet ordre. Leur conscience fut assez vaste pour prendre en charge la conscience de l'humanité existante et la transmuter. Ce fut l'œuvre du Christ, pour ne parler que de notre culture.

Il va sans dire que les Maîtres de ce niveau sont rares, mais combien sont-ils, ceux qui ont entrepris humblement le voyage ?

Ils sont nombreux, à n'en pas douter, et quelques hagiographes nous ont transmis leurs œuvres.

Quelle vie étonnante que celle de ces hommes et femmes qui ont tenté la *"voie de la flèche"* : la voie des mystiques.

Sont-ils tous des Saints ?

Expliquons-nous : avons-nous affaire à un cas de sainteté chaque fois que nous remarquons un phénomène extraordinaire ?

Ne nous hasardons pas à une conclusion trop hâtive. Certains phénomènes extraordinaires peuvent être le fait d'hommes entraînés à une ascèse et qui ont acquis un pouvoir sur leur psyché.

La force cosmique

Dès lors que nous abordons le niveau de conscience solaire, nous constatons l'importance particulière de la dimension *"Amour"* : c'est cet Amour qui transforme, agit, dissout toute conscience du petit moi et tout esprit de volonté mentale; lui seul est assez puissant pour diluer l'ensemble des autres énergies. C'est un amour sans objet. Il met l'être qui le vit en état de synchronicité permanente.

Il est. Les mystiques en parlent comme d'un feu qui les consume et qui les conduit parfois à vivre des situations peu confortables.

Citons l'exemple de Marie-Madeleine de' Pazzi, fille de l'une des deux grandes familles florentines du XVIe siècle. On raconte que certaines de ses extases la transportaient dans un état de consumation mystique qui se traduisait, sur le plan corporel, par une augmentation importante de sa température, au point qu'elle "brûlait" ce qui la touchait. Elle en parlait comme d'un embrasement d'amour qui saisissait son cœur.

Voici ce qu'en dit Aimé Michel dans son livre sur les phénomènes physiques du mysticisme : *"Elle brûle vraiment d'amour : une formidable hyperthermie envahissait son corps, et surtout sa poitrine, dégageant une chaleur qui rayonnait comme celle d'un poêle et que ses voisins ressentaient parfaitement, non sans terreur."* Et ce n'était pas là le *"seul inconfort"* dont la jeune femme et son entourage furent les victimes ! Ces êtres-là ont cessé, malgré eux, de se plier aux convenances.

Je me souviens d'avoir rencontré un homme - que je ne peux qualifier de psychotique tant cela aurait été trop réducteur - qui était plongé dans son univers mystique au point de ne plus savoir comment tirer une chaise à lui pour s'asseoir.

Ainsi Marie-Madeleine pouvait-elle rester les mains dans la glace sans s'en apercevoir, simplement parce qu'elle était rentrée en extase. Mais elle avait, dit-on, la possibilité d'exercer un contrôle sur ces états, ce que ne peut pas faire un psychotique. Quand sa supérieure lui intimait de redescendre parmi ses sœurs, elle en acceptait l'injonction. Et pour certains mystiques, descendre est à prendre au sens propre... car il leur arrive de léviter !

On parle également de cas (ils sont nombreux) de jeûnes prolongés pendant des années. Le mystique chrétien se nourrit de la substance spirituelle de l'hostie. Dans les autres traditions, on rencontre aussi des êtres de cette dimension dont le corps est tellement spiritualisé que la simple énergie transmise par la respiration (prana) suffit à vivre.

On se préoccupe beaucoup aujourd'hui de savoir si certains prodiges observés - telle la stigmatisation - sont induits par des causes naturelles ou surnaturelles.

Stigmates ou suggestion ?

Le docteur Lechler s'aperçoit que lorsqu'il suggestionne "Elizabeth", celle-ci produit sur son corps les stigmatisations suggérées. Le problème me paraît mal posé : cela suppose qu'il y a séparation entre le monde des humains et le monde des Dieux. Dieu est encore mis à l'extérieur. Pourquoi une petite parcelle de Dieu ne se manifesterait-elle pas dans la suggestibilité ? L'hypnose, que l'on comprend encore mal, n'a pas fini de nous réserver des surprises.

A travers l'hypnose, toutes les suggestions peuvent être

données, toutes ne seront pas suivies : cela dépend de l'état d'acceptation intérieure et surtout des barrières que la personne hypnotisée s'impose. Néanmoins, il n'en reste pas moins que l'hypnose est comme le rêve : c'est la voie royale vers l'inconscient !

Elle facilite le contact avec l'inconscient. Ce qui ne signifie pas pour autant que n'importe qui, suggestionné par le docteur Lechler, aurait donné des stigmates ! L'hypnose permet d'entrer en contact avec ce que j'ai appelé le "monde astral lunaire". S'il est vrai que les refoulements sont stockés dans ce monde, l'inconscient n'est pas réductible à ses objets refoulés. Il est en contact avec l'inconscient planétaire, et avec ce que l'homme appelle Divin, ou ce qui lui paraît être des *"expériences d'extase"*.

En contactant ce monde, l'homme entre en communication avec sa divinité intérieure, s'il en est déjà proche. Il peut dépasser cet univers *"astral lunaire"* pour contacter le niveau dit *"astral solaire"* (le supra-mental), celui des grandes visions - telles les apparitions - ou celui des grands prodiges et des grandes guérisons.

L'être qui est capable de se brancher sur ces dimensions peut se passer de l'hypnose. Son état en est proche. Peut-être est-il déjà en état hypnotique : et alors ! Il se peut qu'il y ait plusieurs paliers et différentes qualités qui dépendent de l'âme de chacun.

Le mystique est en contact d'Esprit avec l'essence du symbole qui s'incarne en lui. Cela n'a rien à voir avec la suggestion. Ainsi, le sentier qui nous mène de la Lune au Soleil *(Tiphereth),* sentier vertical sur l'*Arbre des Sephiroth*, rencontre, pour former une croix, le sentier qui relie Mercure à Vénus. C'est un sentier de bouleversements, de ruptures et de détachements (la Maison Dieu du tarot symbolise ce sentier).

Cette croix, qui se repère sur l'*Arbre*, correspond à ce que Jean de la Croix appelle l'instant *"crucial"* (à prendre au sens propre comme au figuré), passage par la *"nuit obscure de l'âme"*, ou nuit des sens. Cette Croix, symbole entre tous de l'univers chrétien, s'incarne chez les stigmatisés de plusieurs façons :
• soit par les stigmates aux pieds, aux mains et à la poitrine, comme le Christ crucifié (Historique ou symbolique);
• soit sur la poitrine de certains d'entre eux, où la chair et le sang sont sculptés à l'image de ce symbole.

Ne dirait-on pas que le stigmate est à l'archétype ce que la somatisation est à la suggestion psychique ?

Les lois psychiques et psychologiques restent les mêmes : il y a passage de l'esprit à la matière, mais cela se situe à une octave supérieure chez les mystiques.

Il existe une différence de niveau entre un fantasme qui s'incarne (hystérie) et un archétype qui s'incarne (mystique). Nous avons expliqué l'écart entre un fantasme et un archétype en démontrant comment le mythe d'Osiris était un stade du miroir à une octave supérieure. Cela mériterait un développement que nous ne pouvons faire ici.

Les prodiges que nous constatons en sont la consécration. Ces adeptes de la voie mystique agissent sur la matière.

Stigmates, jeûnes prolongés, lévitations... sont des phénomènes que nous retrouvons dans toutes les traditions. Ils sont au point d'intersection entre l'esprit et la matière. On peut reprendre les très belles paroles, reçues en rêve, de l'âme de Pachita, chaman Mexicaine, citées par Maurice Cocagnac : *"Si tu veux on pourrait dire que les fibres de l'âme et les fibres du corps sont de même nature, c'est comme les gerbes anciennes, six tiges de blé tenues en tresse tenaient toute la gerbe. Il y a des fibres dans l'homme qui tiennent tout..."*[1]

Enchaînons sur un autre prodige que l'on raconte à Tunis. Un Sage soufi (XIVe siècle), Sidi Belhassen Ash-ashadli, avait le tort de déplaire au pouvoir (cela arrive !). Les autorités ordonnèrent qu'on l'emmurât avec ses disciples alors qu'il prodiguait son enseignement. Quarante jours plus tard, les soldats détruisirent le mur. Ils furent très surpris de se voir invités à partager les restes du repas par les religieux; ces derniers avouèrent qu'ils ne s'étaient pas rendu compte que quarante jours venaient de s'écouler. Ils achevaient tout juste une prière qui avait duré quarante jours... *"les anciens croyaient que l'année ou le siècle sont des faisceaux de jours"* continue Pachita. Peut-être n'étaient-ils pas loin de la vérité si l'on en croit ce prodige.

Le font-ils volontairement ? Je ne pense pas que ce soit leur préoccupation, et cette influence sur la matière peut parfois être très inconfortable pour eux.

Ce fut notamment le cas pour la sœur Lukardis d'Oberweimer (1276-1309), qui lévitait... mais les pieds en l'air.

1 *"Rencontre avec Carlos Castaneda et Pachita la guérisseuse"*, Collection Spiritualité Vivante Ed. Albin Michel.

On rapporte qu'elle supportait cette position pendant un temps considérable, la tête ou l'épaule touchant juste le sol. Ce n'était pas la seule bizarrerie de cette pauvre sœur qui semblait largement dépassée par les forces qu'elle déclenchait. Voici ce que nous en dit Michel Aimé, reprenant un texte écrit avant 1320 : *"La servante de Dieu, parfois pendant le jour, parfois pendant la nuit, se mettait à courir à une vitesse si impétueuse que les hommes les plus agiles ne pouvaient la suivre sans être épuisés. Parfois elle courait en rond, parfois droit devant elle... Quand elle n'avait pas de place pour courir, elle se heurtait brutalement aux murs. Il y avait aussi des jours où, couchée, elle tournait sur elle-même pendant longtemps, comme une pièce à la broche rôtissant au feu."*

On peut se demander l'utilité des telles bizarreries, et si cette religieuse ne pouvait pas utiliser ses forces à des fins plus intelligentes ! N'oublions pas toutefois que les ascèses pratiquées déclenchent des forces psychiques parfois trop fortes pour le véhicule psycho-physiologique qui en est le support. Ces "puissances" n'ont pas d'intelligence propre : la seule qui puisse les gouverner est celle de l'Esprit du mystique, quand elle a été fécondée par l'Esprit supérieur. Est-ce toujours le cas ?

Sri Aurobindo nous dit : *"Le pouvoir ne descend pas dans l'intention d'exciter les forces inférieures, mais à cause de son mode de travail actuel ce soulèvement se produit en réaction. Ce qu'il faut, c'est établir à la base de la nature entière une conscience calme et vaste; ainsi, lorsque la nature inférieure apparaît, ce n'est pas comme une attaque ou un conflit, mais un Maître des forces est là, qui voit les défauts du mécanisme actuel et fait pas à pas le nécessaire pour y porter remède et le changer."*[1]

Les Occidentaux préfèrent, semble-t-il, que Dieu se manifeste dans les prodiges plutôt que dans la discrétion. Les Maîtres savent, quant à eux, qu'il vaut mieux éviter ce genre de phénomène qui n'est pas nécessairement un signe d'évolution spirituelle.

La stigmatisation, si elle était désirée par certains (toujours ce phénomène de sœur Lukardis) constituait pour beaucoup d'autres une épreuve car elle était très douloureuse. Ainsi, la pauvre Anne-Catherine Emmerich, née en 1774 en Westphalie, eut à subir non seulement les souffrances de ses stigmates, mais aussi la grossièreté des médecins qui voulaient s'assurer de l'authenticité du phénomène.

---

1 Sri Aurobindo, "Le guide du yoga", Collection Spiritualité Vivante, Ed. Albin Michel.

Une alchimie de la conscience

Entre un comportement banal de la matière, qui répond aux critères de la science dans son état actuel d'évolution, et ce comportement prodigieux de la matière dont les lois nous échappent pour l'instant, l'observateur ne voit qu'un gouffre qui le trouble.

Le mystique, lui, ne cherche pas les pouvoirs. Son action permet au Divin de se manifester dans la matière, même si cela prend parfois une tournure cocasse - (car à ce niveau, les critères ne sont plus les mêmes... pour la bonne raison qu'il n'y a pas besoin de critère !)

Sri Aurobindo et Mère, à Pondichéry, ont insisté sur l'aspect alchimique du travail du yoga, sur la nécessité de faire ce travail afin que l'homme se bâtisse un nouveau *"véhicule"* plus adapté aux mutations futures. Voici ce que dit Sri Aurobindo : *"La méthode de Yoga que nous suivons ici a un but différent des autres, car elle vise non seulement à nous faire passer de la conscience terrestre ignorante habituelle dans la conscience divine, mais encore à faire descendre le pouvoir supramental de cette divine conscience ici-bas dans l'ignorance de l'intellect, de la vie du corps, à les transformer, à manifester le Divin sur terre et à créer une vie divine dans la matière."*[1]

Même si nous avons potentiellement les possibilités de l'emprunter, le chemin reste difficile et dangereux : il y a peu d'élus. Toutefois, ce n'est qu'après coup qu'il apparaît dangereux; il est en effet préférable d'entreprendre cette progression dans un esprit de paix et de confiance, plutôt qu'avec un sens du drame et avec la certitude que la voie sera semée d'embûches. C'est avant tout une question de représentations conscientes et inconscientes.

La maladie mystique

Il existe des *"maladies mystiques"* : comment le corps et la sphère émotionnelle pourraient-ils supporter sans danger une énergie "spirituelle" qui les contraint à élargir les limites de la matière ?

Passer d'une octave à l'autre ne peut se faire sans

---

1 Sri Aurobindo, *"Le guide du yoga"*, Collection Spiritualité Vivante, Ed. Albin Michel.

secousses. La matière a un niveau vibratoire qui est très lourd comparé aux énergies subtiles que l'ascète met en œuvre par sa pratique : l'adombrement ne se fait pas sans risque d'éclatements physiques ou psychiques.

Des maladies graves, en effet, peuvent se déclencher comme si toutes les parties de l'être, refusées jusqu'à maintenant par le conscient - ces parties que Jung appelle "l'Ombre" -, se renforçaient et se coagulaient dans un dernier sursaut de résistance, sous l'effet des forces spirituelles qui les obligent à s'ouvrir.

Si la maladie physique n'est pas élaborée en conscience, si sa signification n'est pas comprise, alors elle emportera son sujet car *"le temps est peut-être venu"*. Même la mort, envisagée de ce point de vue, est un état transitoire : une force s'est incarnée, a traversé un corps, a agi à travers lui et sa conscience relative, avant de réintégrer le grand courant cosmique dont elle est issue.

Si c'est une maladie psychique qui se déclare, une psychose par exemple, ou un délire qui *"délie"* de la réalité - car il est des délires utiles : nos grandes inventions sont toujours sorties d'un délire ! -, le même travail de conscience doit être accompli.

Ce que faisaient Maîtres et confesseurs autrefois (et encore un peu maintenant), ce sont désormais les psychothérapeutes qui doivent l'accomplir, en prenant garde bien sûr de ne pas réduire les phénomènes à une grille uniquement freudienne.

Pour nous résumer, nous pourrions poser cette devinette : quelle différence y a-t-il entre une *"psychose mystique"* et une vraie psychose ? Dans la première, c'est le psychiatre qui est malade !

On mesure combien il est délicat de juger de ces aspects dans une société qui impose tant de contraintes matérielles et qui ne supporte aucune originalité.

Les trois couches de la psyché

La psyché est constituée de plusieurs couches, chacune ayant une fonction bien définie.

• La première est cette partie de nous-mêmes, reliée à l'inconscient : c'est une forme de sixième sens, d'intuition (à ne pas confondre avec le don prophétique, qui suppose une participation de l'Esprit supérieur) qui se manifeste particulièrement chez les enfants et les médiums.

• La deuxième est une couche adaptative, qui s'établit au moment de la *"greffe du langage"* (une expression que nous empruntons au Dr Jacques Donnars). Elle se fait, la plupart du temps, au détriment de la première, mais c'est elle qui nous fait homme. Elle intervient vers l'âge de deux ou trois ans. C'est le moment où l'enfant demande toujours : *"pourquoi ?"*.

En fait, l'enfant souhaiterait qu'on lui confirme sa place et sa fonction sur terre, qu'on lui explique sa conception, en esprit et en pratique, qu'on le renseigne sur ses ascendants, sur sa famille, sur la société des hommes à laquelle il appartient, sur la société des planètes qui composent ce ciel qu'il contemple en levant les yeux la nuit. Mais il faut bien lui préciser que tout est ordonné et obéit à des lois.

L'enfant sort d'un monde dont il ne connaît que des morceaux épars; il ne perçoit pas les grandes lois qui gouvernent; il a besoin d'être rassuré, de sortir de sa peur du chaos. Il lui faut, dans ces thèmes-là, des réponses très concrètes et non pas un discours philosophique. Il a besoin de retrouver sa place dans le désir de ses parents et le désir de sa planète, afin qu'il puisse organiser sa vie sur des bases concrètes et rassurantes, qui lui laisseront le loisir de donner libre cours à son imagination et de recontacter cette première couche de sa psyché. Il est vital pour lui de pouvoir s'appuyer sur le Désir de la Vie.

De sa relation duelle avec sa mère, il va passer à la relation triangulaire avec le père et s'installer dès cette époque dans l'espace symbolique social. Je ne dis pas qu'il faille un père physiquement présent, bien que cela soit la meilleure solution, mais il est important que le père soit "nommé" et qu'il intervienne en quelque sorte dans l'existence de l'enfant, d'une manière ou d'une autre.

Vers six ou sept ans, l'enfant quitte l'intensité de la crise œdipienne et sort du gynécée pour se scolariser. La scolarité telle qu'elle est conçue actuellement, fait tout pour couper l'enfant de ses sources créatrices, elle l'oblige à apprendre à se servir des "outils" au service d'une société.

La pensée conceptuelle survient vers le début de l'adolescence. Période difficile, car l'ouverture sur l'univers conceptuel donne une sensation de toute puissance à l'enfant - bien que contraint par un corps en pleine mutation - qui accentue la sensation de déséquilibre et de fragilité. La mentalisation à outrance de l'école durant cette période renforce le déséquilibre de la balance.

La plupart des gens restent fixés à cette étape. Elle correspond à une bonne normalisation qui ne met pas en danger les institutions. L'intérêt de ces personnes se pose plus particulièrement sur la résolution d'aspects concrets de la vie.

• La troisième couche de la psyché correspond au monde de l'esprit. Elle est créative : mystique, artistique, ou tout autre domaine qui demande de ne faire aucune concession à la peur de la vie.

Certaines personnes en effet préfèrent tenter une autre quête. Il leur faut donc les mêmes outils que les premiers et d'autres en plus (et non pas en moins, comme on pourrait être tenté de le croire).

Des êtres de la dimension de Thérèse d'Avila et Jean de la Croix, s'ils étaient mystiques, n'en n'avaient pas moins la responsabilité d'un couvent, de plusieurs même... ce qui demande aussi d'avoir les pieds sur terre entre deux lévitations !

L'Amour pour une Entité

Les mystiques ont autre chose en plus : ils ne s'approprient jamais ce qui se passe, mais l'attribuent à leur divinité. Ceci est très important.

Ils sont en effet en contact avec des forces d'un ordre cosmique, des Entités. Même le rationaliste peut comprendre ce qu'est une *Entité*. Le Larousse définit une entité comme une *"chose considérée comme une individualité".*

L'Entité n'est-t-elle pas le concept archétype qui regroupe les forces et les pensées de même nature ? A ce niveau très élevé de la conscience humaine, l'être est dans une relation plus large avec ces grands archétypes. Ce contact ne se situe pas au niveau mental que la plupart d'entre nous connaissent - celui de la pensée discursive - mais à l'échelon *"supra-*

mental", pour reprendre les termes de Sri Aurobindo.

Par ailleurs, l'homme peut percevoir ces forces sous forme anthropomorphe. Il en a créé divers Panthéons, où nous retrouvons toujours les mêmes archétypes quels que soient les pays. La plupart des traditions autorisent des représentations de ces forces à l'image de l'homme. Elles apparaissent à certains revêtues de formes humaines, mais c'est l'œil de l'homme qui les voit ainsi, involontairement : sa boîte à images est ainsi conçue qu'elle balaye la gamme de vibrations possibles. Elle ne perçoit que ce qui correspond à son niveau de conscience. Ces grandes Entités sont douées de conscience et peut-être avons-nous là une part de responsabilité ! "Dieu créa l'homme à son image et il le lui rendit bien" : peut-être sommes-nous co-créateurs de l'Univers.....

Et le guérisseur dans tout cela ?

Est-il nécessaire de préciser que celui qui est sur le Sentier que nous venons de décrire possède de surcroît les qualités nécessaires pour guérir ce qui doit être guéri.

C'est alors que nous pouvons parler de guérisons miraculeuses. N'oublions pas cependant que le Christ lui-même refusait d'intervenir sur certaines personnes.

Même à ce niveau de pouvoir sur la matière, le guérisseur n'est pas nécessairement un mystique. L'implication personnelle que nécessite cette approche est un travail de conscience. Il est au-delà de toute dévotion, de toute identification. Il est en dehors de tout, car il a dépassé les images religieuses.

CONCLUSION

Nous arrivons au terme de cette approche du magnétisme qui nous a conduits de l'éveil à la connaissance et à la maîtrise.

Et curieusement, rien ne s'achève, contrairement à ce qui se produit lorsque l'on referme un ouvrage. Nous sommes là, vous et moi, immobiles, devant une porte qui vient de s'entrouvrir. Le temps s'est arrêté.

Le simple fait d'avoir approché l'essentiel, reconnu le fondamental, exprimé puis expérimenté l'indicible, nous a rendus différents. Le praticien-auteur a transmis son expérience, le lecteur a reçu ce qu'il pressentait sans parvenir à le formaliser... mais nous n'avons fait, les uns et les autres, que pénétrer un peu plus dans l'univers des "échanges vitaux".

Le magnétisme est ce qu'il a toujours été : l'un des plus fabuleux artisans de l'évolution dans tous les secteurs de la vie. C'est nous qui avons changé. S'il s'est soudain concrétisé en définitions scientifiques, en formes et en rituels, il nous a aussi rapprochés de nous-mêmes.

Et c'est bien là, dans cette révélation de ce que nous sommes au plus profond de notre inconscient, que le magnétisme construit son plus bel ouvrage.

Il nous révèle notre force et nos faiblesses, le jeu savant et sublime des puissances qui sont en nous, des mutations incessantes au milieu desquelles nous évoluons. Et par-dessus tout, dans ce pouvoir guérisseur qu'il nous propose subtilement, il répond à cette question essentielle : jusqu'où sommes-nous prêts à aimer les autres...

Il ne fait rien en notre nom, mais nous donne les moyens d'agir. A chacun de placer la barre où il le souhaite, d'accepter de transcender son existence dans le don, de reconnaître sa dimension divine... ou de s'enfermer dans un individualisme forcené et sans envergure.

C'est là toute la différence que nous offre le magnétisme. Dans cet envol de l'être, cette ouverture du "moi" à la dimension cosmique, cette reconnaissance et cet abandon aux forces majeures qui dirigent toute vie sur notre planète.

Le magnétisme nous relie avec l'essence des êtres et des choses. En renouant avec cette Nature dont nous n'aurions jamais dû nous éloigner, le plus simplement du monde, il purifie et sacralise notre trajectoire. Il nous ramène dans "le" sens.

S'il fait de nous le miroir et le gardien des clés, le proche attentif, le magicien de l'âme que beaucoup n'osaient plus chercher, il est avant tout notre petit alchimiste intérieur.

A présent, il est temps de pousser la porte qui vient de s'entrouvrir...

Puisse chacun poursuivre sa route dans cette conscience éclairée, et trouver avec l'aide du magnétisme la voie de sa propre réalisation.

TABLE DES MATIÉRES

DEUXIEME PARTIE

MAGNETISME
ET
INCONSCIENT

TROISIEME PARTIE

MAGNÉTISME
ET
CONSCIENCE

BIBLIOGRAPHIE

Adamson et Carnochan - *L'empire des serpents* - Ed. Stock, 1980. - *L'agenda de Mère* 1951-1960 - Ed. Institut de Recherches Comparatives.

Ambelain Robert - *La magie sacrée ou Livre d'Abramelain le mage* - Ed.Bussière - Paris, 1986.

Baudoin Bernard - *Le pouvoir des formes qui nous entourent* - Ed. Sand et Tchou - Paris, 1988.

Bailey Alice - *La guérison ésothérique* - Ed. Lucis, 1976.

Campbell Joseph - *Les Héros sont éternels* - Ed. Seghers, 1978.

Castaneda Carlos - *Le feu du dedans* - Ed. Gallimard,, 1984.

Coquet Michel - *Dévas ou les mondes angéliques* - Ed. L'Or du Temps 1988.

Denning M. et Phillipps O. - *Philosophie et pratique de la Haute Magie* - Ed. Sand, 1981.

Descamps Marc-Alain - *Les psychothérapies transpersonnelles* - Ed. Trismégiste, 1990.

Donnars Jacques - *Vivre* - Ed.Tchou, Paris, 1981.

Donnars Jacques - *La transe, technique d'épanouissement* - Ed.L'Homme et la Connaissance, Paris.

Durand Gilbert - *Les stuctures anthropologiques de l'imaginaire* - Ed. Dunod, 10 ème édition, 1984.

Dutheil Régis et Brigitte - *L'homme superlumineux* - Ed. Sand, Paris, 1990.

Dutheil Régis et Brigitte - *La médecine superlumineuse* - Ed. Sand, Paris, 1992.

Etévenon Pierre - *Les aveugles éblouis* - Ed. Albin Michel, Paris, 1984.

Fromaget Michel - *Mort et splendeur du corps* - in Bulletin de Thanatologie, 1977.

Groddeck - *Le livre du ça* - Ed. TEL Gallimard, Paris, 1973.

Teillard Ania - *Ce que disent les rêves* - Ed. Stock Plus, 1979.

Lévi Aliphas - *Dogmes et rituels de Haute Magie* - Ed. Bussière, Paris, 1988.

Marty Pierre - *L'ordre Psychosomatique* - Ed. Payot, Paris, 1980.

Sami-Ali - *Corps réel corps imaginaire* - Ed. Dunod, Paris 1977.

Stearn Jess - *Edgar Cayce le prothète, pronostics en transe 1911 - 1998* - Ed. Ariston, Genève, 1982.

The Findhorn Community - *Les jardins de Findhorn* - Ed. Nature et Progrès, Paris, 1989.

Mario Mercier - *Chamanisme et chaman* - Ed. Dangles.

Mario Mercier - *Soleil d'arbre* - Ed. Albin Michel, Paris, 1991.

Mario Mercier - *Les rites du Ciel et de la Terre* - Ed. Dangles, 1984.

Jung C. G. - *Mysterium conjunctionis* - Ed. Albin Michel, Paris, 1980.

Jung - *Psychologie et orientalisme* - Ed. Albin Michel, Paris, 1985.

Jung - *Aïon études sur la phénomènologie du Soi* - Ed. Albin Michel, Paris, 1983.

Pierrakos John - *Le noyau énergétique de l'être humain* - Ed. Sand, 1990.

Le Gall Maurice - *Toute la radiésthésie en neuf leçons* - Ed. Sand, 1990.

La Maya Jacques - *La médecine de l'habitat* - Ed. Dangles,, 1988.

Mcall Kenneth - *Médecine psychique et guérisons spirituelles* - Ed. Dervy Livres.

Larcher Hubert - *Le sang peut-il vaincre la mort ?* - Ed. Gallimard.

de Souzenelle Annick - *Le symbolisme du corps humain* - Ed. Dangles, 1984.

Haab Jean - *L'alphabet des Dieux* - Jean Haab Editeur, distribution Dauphin.

Van Eiszner Anne - *L'aveugle et le paralytique* - in *"Les Thérapeutes aux mains nues"*, Cahiers Trimestriels n° 11, Ed.Lierre et Coudrier, 1988.

Van Eiszner Anne - *La conscience envisagée du point de vue de la Kabbale* - in *"Les états de conscience"*, Somatothérapies et Somatologie n° 12 (octobre 1991), Ed.Somatothérapies, Strasbourg.

Sri Aurobindo - *Le guide du yoga* - Ed. Albin Michel, collection Spiritualité Vivante.

Sri Aurobindo - *Expériences psychiques dans le yoga* - Textes groupés, traduits et préfacés par Jean Herbert, Ed. Albin Michel.

Mouret et Froger - *Symbolisme de l'image et anthropologie* - Ed. Présence, Sisteron, 1986.

Flamand Elie-Charles - *Les pierres magiques* - Ed. Le Courrier du Livre, 1981.

Médecines Nouvelles et Psychologie transpersonnelles - Question de n° 64 -, Ed. Albin Michel.

Lu Tsou - *Le secret de la fleur d'or* - Ed. Librairie de Médicis, 1982.

Virya Vedhyas - *Spiritualité de la Kabbale* - Ed. Présence, 1986.

Knight Gareth - *Guide pratique du symbolisme de la Qabal*, tomes 1 et 2, Ed. Ediru, 1983.

Nicholson S. - *Anthologie du chamanisme*, textes réunis par Nicholson - Ed. Le Mail, 1987.

Michel Aimé - *Métanoïa, phénomènes physiques du mysticisme* - Ed. Albin Michel, collection Spiritualité Vivante.

Méditation sur les 22 arcanes majeurs du tarot - Ed. Aubier.

Grof Stanislav - *Royaumes de l'inconscient humain* - Ed. du Rocher, 1983.

Z'ev ben Shimon Halevi - *L'Arbre de vie* - Ed. Albin Michel, collection Spiritualité Vivante.

Fontaine Jeanine - *La médecine du corps énergétique* - Ed. Robert Laffond.

Masson Hervé - *Dictionnaire des sciences occultes*, de l'ésotérisme et des arts divinatoires - Ed. Sand.

Achevé d'imprimer en mai 1994
sur presse CAMERON,
dans les ateliers de la S.E.P.C.
à Saint-Amand-Montrond (Cher)
pour France Loisirs

N° d'impression : 1432.
Dépôt légal : avril 1994.
N° d'édition : 24035.
Imprimé en France